L'arbre à mots

Plus de **80 % des mots** utilisés en français viennent du latin. L'étude de leur **étymologie** permet de mieux comprendre **leur sens** en reconstituant **leur histoire.**

Racine et radical

Groupés en familles, les mots sont comme des feuilles attachées aux branches d'un arbre.
À partir d'une **grande racine**, **divers radicaux** (du latin radix, *icis*, f., racine) ont poussé.

La racine
C'est la base la plus ancienne et la plus large d'un ensemble de mots qu'on appelle **famille**. Elle exprime **une idée commune** à tous ces mots.

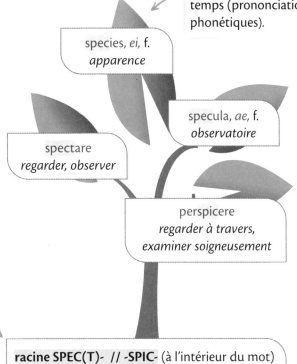

l'evolution des mots au fil du temps (prononciation, règles phonétiques).

species, *ei*, f.
apparence

specula, *ae*, f.
observatoire

spectare
regarder, observer

perspicere
regarder à travers, examiner soigneusement

racine SPEC(T)- // -SPIC- (à l'intérieur du mot)
idée de regarder attentivement

Mots dérivés ou composés

À partir d'un mot dit simple, un (ou plusieurs) **préfixe**, un (ou plusieurs) **suffixe** a pu être ajouté au **radical** pour former un mot nouveau appelé **dérivé**.
Un mot formé par la combinaison de deux radicaux, comme muni-ceps (du verbe capere, *prendre*), d'où *municipal* en français, est appelé **composé**.

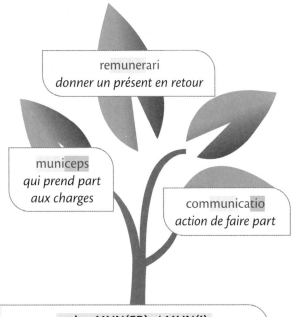

remunerari
donner un présent en retour

municeps
qui prend part aux charges

communicatio
action de faire part

racine MUN(ER)- / MUN(I)-
idée d'échange de service rendu, de cadeau
munus, *muneris*, n. : don, charge, fonction, spectacle offert au public

Collège

CFBL

2017-2018 : ....

2021-2022 : Juliette Lemaitre 5ème

20...-20... : ....

20...-20... : ....

20...-20... : ....

20...-20... : ....

LATIN

Langues et cultures de l'Antiquité

4^e

Programme 2016

Annie Collognat-Barès

Agrégée de Lettres classiques

avec la participation de
Anna Raine
Professeure au collège Paul Verlaine (Paris 12e)

Les auteurs et les éditions Magnard remercient **Cédric Caon**, professeur au collège Henri Wallon (Varennes-Vauzelles), **Nicole Hatémian**, professeur au collège La Nativité (Aix-en-Provence), **Aurore Pruvot**, professeur au collège Henri Guillaumet (Mourmelon-le-Grand) et **Julien Roussel**, professeur au collège de Carignan pour leurs remarques et suggestions, ainsi que tous les enseignants qui ont participé aux études menées sur ce manuel.

MAGNARD

Code offre
110854

Valable jusqu'au 31/07/2022

Conception de la maquette de couverture : Delphine d'Inguimbert, Valérie Goussot
Conception de la maquette intérieure : Line Lebrun
Mise en page : Linéale
Iconographie : Christine Charier
Illustrations : Marylou Deserson (pp. 36, 39, 42, 78, 107, 112, 146)
Cartographie : Valérie Goncalves, Christel Parolini
Édition : Sarah Gaisser, Catherine Jardin, assistées de Margaux Gueniffey

© Éditions Magnard, 2017
5 allée de la 2ᵉ D.B. – 75726 Paris cedex 15
ISBN : 978-2-210-11085-4

Sommaire

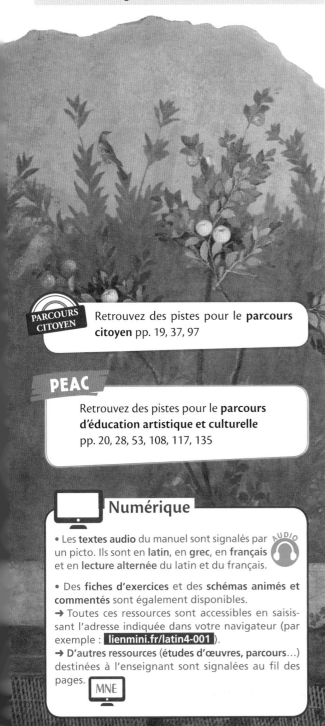

PARCOURS CITOYEN
Retrouvez des pistes pour le **parcours citoyen** pp. 19, 37, 97

PEAC

Retrouvez des pistes pour le **parcours d'éducation artistique et culturelle** pp. 20, 28, 53, 108, 117, 135

Numérique

• Les **textes audio** du manuel sont signalés par un picto. Ils sont en **latin**, en **grec**, en **français** et en **lecture alternée** du latin et du français.

• Des **fiches d'exercices** et des **schémas animés et commentés** sont également disponibles.
→ Toutes ces ressources sont accessibles en saisissant l'adresse indiquée dans votre navigateur (par exemple : lienmini.fr/latin4-001).
→ D'autres ressources (études d'œuvres, parcours…) destinées à l'enseignant sont signalées au fil des pages. MNE

AB URBE CONDITA
Rome : de la légende à l'histoire

▶ Partie 1
Res publica
La République romaine

❶ Les débuts de la République

❷ La menace de la discorde

❸ La République des Anciens

MARE NOSTRUM
La Méditerranée

IN DIES
Jour après jour

Lire et écrire en grec

L'alphabet grec

Adapté de l'alphabet phénicien, l'alphabet grec compte vingt-quat re lettres. Repris et remanié par les Étrusques, il a donné naissance à l'alphabet latin que nous utilisons aujourd'hui.

Écoutez la prononciation des mots grecs à cette adresse :

lienmini.fr/latin4-002

Alphabet peint sur une coupe attique, Vᵉ siècle avant J.-C., Musée archéologique national, Athènes.

Majuscule	Minuscule	Nom de la lettre	Prononciation (alphabet phonétique)	Exemple
A	α	alpha	[a] et [ɑ] > a bref ou â long	ἀρχή (ἡ) : origine, pouvoir
B	β ou *b*	bêta	[b]	βάρβαρος : barbare
Γ	γ	gamma	[g]	γράμμα (τὸ) : lettre
Δ	δ	delta	[d]	δῆμος (ὁ) : peuple
E	ε	epsilonn	[e] > é bref	ἔθνος (τὸ) : race
Z	ζ	dzêta	[dz]	ζωή (ἡ) : vie
H	η	êta	[ɛ] > ê long	ἥλιος (ὁ) : soleil
Θ	θ	thêta	[t'] > t aspiré (th en anglais)	Θέατρον (τὸ) : théâtre
I	ι	iota	[i]	ἱερός : sacré
K	κ	kappa	[k]	κίρκος (ὁ) : anneau
Λ	λ	lambda	[l]	λόγος (ὁ) : parole
M	μ	mu	[m]	μόνος : seul
N	ν	nu	[n]	ναῦς (ἡ) : navire
Ξ	ξ	ksi	[ks]	ξένος : étranger
O	ο	omicronn	[ɔ] > o bref	ὀφθαλμός (ὁ) : œil
Π	π	pi	[p]	πατήρ (ὁ) : père
P	ρ	rhô	[r]	ῥήτωρ (ὁ) : orateur
Σ	σ ou ς	sigma	[s]	σοφός (adjectif) : sage
T	τ	tau	[t]	τέχνη (ἡ) : art, technique
Υ	υ	upsilonn	[y]	ὕπνος (ὁ) : sommeil
Φ	φ	phi	[f]	φίλος (adjectif) : ami
X	χ	khi	[k'] > k aspiré (ch en allemand)	χρόνος (ὁ) : temps
Ψ	ψ	psi	[ps]	ψυχή (ἡ) : âme
Ω	ω	ôméga	[o] > ô long	ὥρα (ἡ) : période de temps

Les mots grecs portent des signes :
– des **accents** indiquant sur quelle syllabe porte la voix (intonation),
– des **esprits** marquant la présence ou l'absence d'un léger souffle aspiré.

Ex. : ἕτερος : autre ➜ hétérogène
(Le *h* est le vestige de l'aspiration dans le mot grec.)

❶ D'où vient le nom *alphabet* ?

❷ Quelles lettres majuscules reconnaissez-vous sur la coupe (doc. ①) ?

❸ Recopiez cinq mots grecs du tableau et notez pour chacun un mot français (ou plus) qui en est issu.

Exemple : ἀρχή ➜ archéologue

Écouter l'aède

Dans l'Antiquité, les épopées d'Homère, l'*Iliade* et l'*Odyssée*, étaient si célèbres que tous les enfants, à Rome comme en Grèce, en apprenaient de longs passages par cœur à l'école. Même si on discute encore pour savoir qui était vraiment Homère, on admet qu'il a vécu à la fin du IXᵉ siècle avant J.-C. en Ionie, une région d'Asie Mineure où étaient installées de riches colonies grecques (p. 8). Homère était un aède (du verbe ἀείδω, je chante) : il chantait ses vers en jouant de la cithare pendant les fêtes et les banquets à la cour des rois de son temps.

Ulysse et les sirènes, mosaïque, IVᵉ siècle après J.-C., musée du Bardo, Tunis (Tunisie).

Voici les deux premiers vers de l'Odyssée.

Ἄνδρα	μοι ἔννεπε,	Μοῦσα,	πολύτροπον,	ὅς,	μάλα,	πολλὰ,
↓	↓	↓	↓	↓	↓	↓
Andra	*moï ennepe,*	*Mousa*	*polutroponn*	*hos*	*mala*	*polla*
[Cet] homme	à moi raconte [-le],	Muse,	[lui] qui a beaucoup de tours	qui [de]	très nombreuses [fois]	

πλάγχθη,	ἐπεὶ	Τροίης	ἱερὸν	πτολίεθρον	ἔπερσεν [...]
↓	↓	↓	↓	↓	
planchthê,	*épei,*	*Troiês*	*iéronn*	*ptoliéthronn,*	*épersenn*
a été ballotté,	depuis que	de Troie	sacrée	la citadelle	il a ravagé

Cet homme, raconte-moi ses aventures, Muse, lui, le héros aux mille tours, qui a erré tant et tant, depuis qu'il a ravagé la citadelle sacrée de Troie [...].

Homère, *Odyssée*, vers 1-2.

Écoutez les vers d'Homère à cette adresse :
lienmini.fr/latin4-003

❶ **Lisez à haute voix les deux vers en grec, en suivant l'intonation donnée par les accents. Puis apprenez-les par cœur.**

❷ L'adjectif πολύτροπος qualifie une personne capable de faire beaucoup (πολύ-, poly-) de tours (τρόπος, du verbe τρέπω, je tourne). Il annonce donc à la fois que le héros a fait de nombreux détours dans son voyage et qu'il a beaucoup de tours (ruses) dans sa tête. **Qui est ce héros ?**

❸ **Quels éléments venus du grec reconnaissez-vous dans *polychrome, héliotrope, hiérarchie, musicologue, androïde* ? Que signifient ces mots ?**

❹ **Cherchez de quels noms grecs viennent les titres *Iliade* et *Odyssée*. Recopiez-les puis rédigez quelques lignes pour présenter chaque poème.**

La Grèce antique

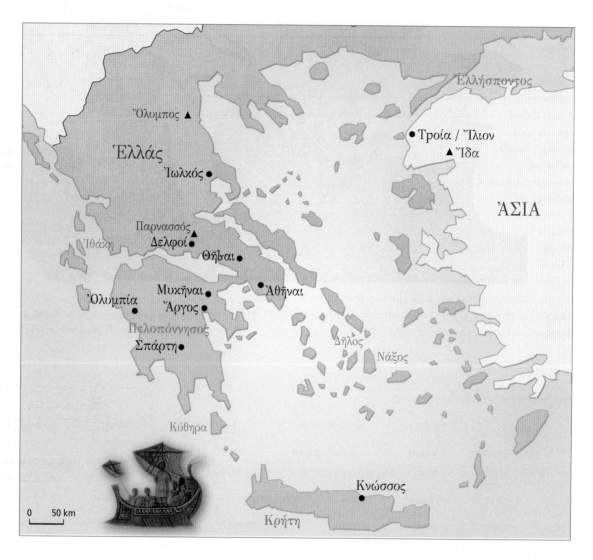

Dans l'Antiquité, il n'y a pas d'État grec unifié comme aujourd'hui : avant l'époque d'Homère, des peuples, qu'il nomme Ἀχαιοί (Achéens, de Ἀχαΐα, l'Achaïe, région du Péloponnèse), ou Ἀργεῖοι (Argiens, habitants d'Argos), ont constitué divers petits royaumes. À partir du VIIIe siècle avant J.-C., la plupart deviennent des cités-États, comme Athènes et Sparte. En quête de nouveaux territoires, de nombreux colons partent s'installer en Asie Mineure et en Méditerranée occidentale répandant ainsi l'hellénisme dans tout le bassin méditerranéen. Après la conquête romaine, l'ensemble des cités et royaumes grecs constituent l'Achaïa (Achaïe), devenue une province de Rome.

❶ **Lisez les noms des régions et des villes représentées sur la carte.**

Quand nous parlons de la Grèce et des Grecs, nous utilisons des mots latins ; en grec, on dit ἡ Ἑλλάς (au génitif τῆς Ἑλλάδος), l'Hellade, et οἱ Ἕλληνες, les Hellènes. C'est pourquoi le nom *hellénisme* s'emploie comme synonyme de civilisation grecque (l'influence de l'hellénisme à Rome) ou pour désigner une construction propre à la langue grecque (comme un latinisme pour le latin).

❷ **Quelle est l'origine des noms *Péloponnèse* et *Hellespont* ? Faites une recherche.**

❸ **Cherchez des exemples de colonies grecques en Gaule (aujourd'hui des villes françaises de la côte méditerranéenne).**

Héros et dieux grecs

Des héros et des dieux se présentent à vous : saurez-vous les reconnaitre ?

1. Je suis roi d'Argos et de Mycènes. Je suis le chef des Achéens partis combattre les Troyens en Asie.

2. Je suis fils du roi d'Iôlcos. Sur mon bateau *Argo*, je suis parti conquérir la Toison d'or au-delà de l'Hellespont.

3. Je suis fils du roi d'Athènes. J'ai tué le monstre enfermé par le roi de Crète Minos dans son palais de Cnôssos.

4. Dieu des arts et de la musique, je suis né sur l'île de Délos. Mon sanctuaire de Delphes attire les pèlerins du monde entier.

6. Grâce à moi, les Achéens ont envahi Ilion. J'ai mis dix ans pour rentrer dans mon ile natale, Ithaque.

5. Nous sommes neuf sœurs, filles de Zeus et de Mnémosyne, la Mémoire. Nous protégeons les arts et vivons sur le mont Parnasse.

7. Je suis la déesse de la beauté et de l'amour. Je suis née de l'écume de la mer près de l'île de Cythère.

Antoine Louis Barye (1795-1875), *Thésée combattant le Minotaure*, sculpture en bronze (45 x 29 cm), musée du Louvre, Paris.

9. Fils du roi de Troie, j'ai été abandonné sur le mont Ida. J'ai enlevé la plus belle femme de Grèce, ce qui a déclenché un terrible conflit qui a duré dix ans.

10. Je suis la femme du roi de Sparte Ménélas. Ma beauté a provoqué la guerre de Troie.

8. Fils de Zeus, je suis né à Thèbes. J'ai accompli douze travaux extraordinaires et j'ai fondé les premiers jeux à Olympie.

11. Je trône sur le mont Olympe. On m'honore comme « le Père des dieux et des hommes ».

12. Je suis fille de Minos. J'ai aidé le vainqueur du Minotaure à sortir du labyrinthe en lui donnant une pelote de fil, pourtant, il m'a abandonnée sur l'île de Naxos.

Jacques-Louis David (1748-1825), *Les Amours de Pâris et d'Hélène*, huile sur toile (détail), 1788, musée du Louvre, Paris.

Préparez une carte de visite pour chacun d'eux en suivant les étapes suivantes.

❶ Écrivez le nom du personnage, en français puis en grec, à retrouver dans la liste suivante.
Ἀπόλλων • Πάρις • Ἡρακλῆς • Ἀριάδνη • Ὀδυσσεύς • Ἀφροδίτη • Ζεύς • Ἀγαμέμνων Ἰάσων • αἱ Μοῦσαι • Θησεύς • Ἑλένη.

❷ Écrivez le(s) nom(s) de lieu(x) cité(s) dans chaque présentation ci-dessus (en orange), en français puis en grec, à retrouver sur la carte p. 8. Appliquez-vous à bien écrire chaque nom, sans oublier les esprits ni les accents.

❸ Agrémentez chaque carte de visite d'une illustration de votre choix (dessin personnel, reproduction d'une image).

La République

Les Romains sont fiers de leur passé : entre récit légendaire et réalité historique, la tradition entretient le souvenir d'épisodes célèbres où des héros se sont imposés pour défendre la liberté du peuple et la grandeur de Rome. Ces figures exemplaires illustrent les valeurs qu'ils confèrent à « la chose publique », la res publica, que nous nommons République.

Menez l'enquête

Construit par Ancus Martius, le premier pont qui enjamba le Tibre était en bois. Appelé pons Sublicius, il fut détruit à plusieurs reprises, mais toujours reconstruit en bois pour des raisons religieuses et stratégiques. Il finit par disparaitre, emporté par une crue du Tibre en 69 après J.-C. Qui était Ancus Martius ? Quand a-t-il vécu ? Quel est l'intérêt « stratégique » d'un pont en bois ?

romaine

Horatius Coclès défendant le pont Sublicius, plat en faïence (majolique),
XVIᵉ siècle, musée du Bargello, Florence.

Lire l'image

1 Où se passe la scène ? Décrivez le décor.

2 Que font les groupes de personnages à droite et à gauche ?

3 Quel indice permet de repérer le personnage principal ? Décrivez-le
(costume, gestes). Que tente-t-il de faire ? Quel est son nom ?

Chapitre 1

Les débuts de la République

En 509 avant J.-C., le peuple de Rome chasse la famille royale étrusque des Tarquins.

Lecture

Le serment de Brutus

Fils du roi de Rome Lucius Tarquin dit le Superbe, Sextus Tarquin a violé Lucrèce, femme de son cousin, le général Tarquin Collatin. Lucrèce se poignarde alors sous les yeux de son mari et de son père, Lucretius, accourus avec deux amis, Valerius et Lucius Junius dit Brutus, un neveu du roi.

Brutus illis luctu occupatis cultrum ex vulnere **Lucretiae** extractum manantem cruore prae se tenens :
– Per hunc, inquit, castissimum ante re-
5 giam injuriam sanguinem **juro** vosque, dii, testes facio me **L. Tarquinium Superbum** cum scelerata conjuge et omni liberorum stirpe ferro, igni, quacumque dehinc vi possim, exacturum nec illos
10 nec alium quemquam regnare **Romae** passurum.
Cultrum deinde Collatino tradit, inde Lucretio ac Valerio […]. Ut praeceptum erat, **jurant** ; totique ab luctu versi
15 in iram, **Brutum** jam inde ad expugnandum regnum vocantem sequuntur ducem.
Elatum domo **Lucretiae** corpus in forum **deferunt** concientque miraculo,
20 ut fit, rei novae atque indignitate homines.

Titus Livius,
Ab Urbe condita libri, liber primus.

Tandis que ses compagnons sont absorbés par le chagrin, ░░░ retire de la blessure de ░░░ le couteau dégoulinant de sang et le tenant levé devant lui :
5 – Par ce sang, dit-il, si pur avant l'outrage royal, ░░░ et je vous prends à témoin, dieux, que moi je chasserai par le fer, par le feu et par tous les moyens qui seront désormais en mon pouvoir, ░░░ avec sa femme crimi-
10 nelle et toute sa descendance, et que je ne supporterai plus de rois à ░░░, ni eux, ni aucun autre.
░░░ […]. Suivant l'exemple donné, ░░░ ; et passant tout entiers du chagrin à la colère, ils suivent ░░░ comme un
15 chef, tandis qu'il appelle déjà à l'abolition de la royauté.
░░░ le corps de ░░░ de la maison sur la place publique et ils soulèvent les hommes par ce spectacle extraordinaire, comme il arrive
20 habituellement, et par l'outrage indigne.

Tite-Live (59 avant J.-C.-17 après J.-C.),
Histoire romaine, livre I, chapitre 59, 1-3.

---

jus, *juris*, n. : le droit, la justice

Le verbe juro, as, are (prêter serment) et le nom injuria, ae, f. (« tout acte contraire au droit et à l'honneur ») appartiennent à la famille de jus. À l'origine, ce nom désigne « la formule religieuse qui a force de loi », puis l'application des lois en général, qui fonde la justice et le droit pour tous les citoyens. C'est une notion fondamentale pour les Romains.

Vocabulaire pour traduire
> culter, *tri*, m. : couteau
> defero, fers, ferre : emporter
> deinde : ensuite
> inde : de là, puis
> juro, as, are : jurer, faire le serment
> trado, is, ere : faire passer, remettre

Casto Plasencia, *Origen de la República romana*, huile sur toile (428 x 690 cm), 1877, musée du Prado, Madrid.

Étymologie

a. Les mots suivants, sauf un, ont un point commun : lequel ? Quel est l'intrus ?
juriste • adjuger • injustifié • parjure • juge • juron • jucher • conjuration • abjurer • judiciaire
b. Recopiez ces mots et donnez une brève définition pour chacun d'eux.

c. Quel préfixe et quel radical latins retrouvez-vous dans *injure* et *injuste* ? Donnez leur sens.
d. Comment le nom *jurisprudence* est-il composé ? Cherchez son sens.

Comprendre le texte et l'image

❶ Lisez à haute voix les paroles de Brutus en latin.

❷ Complétez la traduction du texte en vous aidant du vocabulaire.

❸ Selon le récit de Tite-Live, quel évènement provoque l'abolition de la royauté ? Quel nom latin désigne cette « atteinte au droit et à l'honneur » ?

❹ Qui prend la tête de la révolte ? Par quel geste et quelles paroles ?

❺ Quelle est la réaction de la foule ?

❻ Décrivez les gestes et attitudes des différents personnages sur le tableau.

❼ Quels éléments précis du texte de Tite-Live le peintre a-t-il représentés ?

❽ Où a-t-il situé la scène ? Décrivez le décor.

❾ Que signifie le titre du tableau en espagnol ?

Le verbe, la conjugaison

> Brutus mihi cognomen erat quia…

OBSERVER et REPÉRER

Brutus, le père de la liberté

1. Romani Lucio Junio cognomen Brutum **dant** quia stultitiam **simulat**.
Les Romains **donnent** à Lucius Junius le surnom de Brutus (l'Abruti), parce qu'**il simule** la stupidité.

2. Post Lucretiae mortem, multi Romani ad Brutum **veniunt**. Tum magna voce **exclamat** :
Après la mort de Lucrèce, de nombreux Romains **viennent** à Brutus. Alors **il s'écrie** à voix forte :

3. « Num ita vivere **possumus** ? Ego, non **possum**. Itaque auxilium a vobis **peto**.
« **Pouvons-nous** vivre ainsi ? Moi, **je** ne le **peux** pas. C'est pourquoi **je demande** votre aide.

4. Lucretiae fortunam **videtis** : Sexti Tarquinii maleficium et Tarquinii tyranni superbiam vindicare **debemus**. »
Vous voyez le sort de Lucrèce : **nous devons** punir le forfait de Sextus Tarquin et l'orgueil de Tarquin, le tyran ».

5. Romani arma **capiunt** et Tarquinium liberosque ex oppido **expellunt**.
Les Romains **prennent** les armes et **chassent** de la ville Tarquin et ses enfants.

Brutus, buste en bronze, IVe-IIIe siècle avant J.-C., palais des Conservateurs, Rome.

À l'oral

Complétez la phrase prononcée par Brutus avec les mots qui conviennent.
a. … brutus eram.
b. … stultitiam simulabam.
c. … superbus eram.

Identifiez la personne du verbe

❶ Identifiez le mode, le temps, la personne de chaque verbe français aux phrases **1**, **2**, **4** et **5**. Quels indices permettent de reconnaitre la personne du verbe latin correspondant ?

❷ Comparez les terminaisons des verbes dant (phrase **1**), veniunt (phrase **2**), capiunt, expellunt (phrase **5**). Que remarquez-vous ?

❸ À quel(s) indice(s) reconnait-on la 1re personne du singulier et du pluriel à la phrase **3** ?

Identifiez les types de conjugaisons

❹ a. Retrouvez dans le lexique les verbes de la question ❷.
b. Recopiez les trois premières formes données pour chaque verbe : sont-elles toutes identiques ?

❺ a. Retrouvez les formes des verbes videtis, debemus (phrase **4**). Que constatez-vous ?
b. Combien de types de conjugaisons différents avez-vous identifiés dans les phrases ?

Faites le bilan

❻ Recopiez le tableau et donnez la liste complète des terminaisons verbales, en vous aidant des observations précédentes et de ce que vous avez appris en 5e.

	1re pers.	2e pers.	3e pers.
Présent	(je) … / …	(tu) …	(il/elle) …
Imparfait	(nous) …	(vous) …	(ils/elles) …

Écoutez les textes du chapitre à cette adresse : **lienmini.fr/latin4-010**

APPRENDRE

Accédez à un **schéma animé et commenté** à cette adresse :
lienmini.fr/latin4-013

1 La carte d'identité du verbe

▶ Dans le dictionnaire, un verbe latin est présenté par une série de cinq formes appelées **temps primitifs**. Elles permettent de reconnaitre toutes les autres formes du verbe.

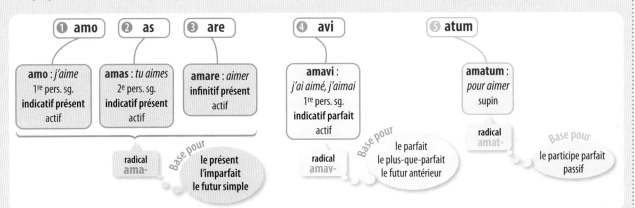

▶ Les **verbes latins** sont classés en **cinq types de conjugaisons**. On les identifie en observant les **terminaisons** des **trois premiers temps primitifs**, donnés par le dictionnaire.

1re pers. indicatif présent	2e pers. indicatif présent	infinitif présent	radical du présent
amo *j'aime*	amas *tu aimes*	amare *aimer*	amā-
video *je vois*	vides *tu vois*	videre *voir*	vidē-
lego *je lis*	legis *tu lis*	legere *lire*	leg-
capio *je prends*	capis *tu prends*	capere *prendre*	capĭ-
audio *j'entends*	audis *tu entends*	audire *entendre*	audī-

> Entre le radical du verbe terminé par une consonne et la terminaison s'intercale une voyelle **e, i,** ou **u**.
> leg-**i**-s, leg-**u**-nt, leg-**e**-ba-m

▶ Le **verbe sum** (être), ses composés (**absum, adsum, desum, praesum, possum**) et quelques autres verbes fréquents ont leurs propres conjugaisons.

> Présent de l'indicatif : su**m**, e**s**, es**t**, su**mus**, es**tis**, su**nt**

2 L'identification des formes verbales

Pour bien identifier chaque forme verbale, il faut la lire de droite à gauche.

❸ ← ❷ ← ❶   1re pers. pl.
amabamus : nous aimions
radical du présent │ terminaison de personne
suffixe de temps

❸ ← ❷ ← ❶   2e pers. pl.
capiebatis : vous preniez
radical du présent │ terminaison de personne
voyelle de liaison / suffixe de temps

vides : tu vois   **legit** : il/elle lit   **audiebant** : ils/elles entendaient

Vocabulaire

> capio, is, ere : prendre
> debeo, es, ere : devoir
> do, das, dare : donner
> peto, is, ere : demander
> possum, potes, posse : pouvoir
> venio, is, ire : venir

→ Voir Mémento **p. 158**

Exercices

EXERCICES **lienmini.fr/latin4-011**
Saisissez cette adresse dans votre navigateur pour accéder à des **exercices interactifs**.

Reconnaitre les terminaisons du verbe

❶ Observez les terminaisons et identifiez la personne de chaque verbe.
clamat • instituimus • inquit • parant • curritis

❷ a. Observez les terminaisons et identifiez la personne et le temps de chaque verbe.

b. Traduisez les verbes de la liste 2, en vous aidant du lexique si besoin.

1. sustinebat • poteram • ponebamus • laborabas • faciebatis

2. juro • defendimus • expellunt • valebant • habet

Identifier la conjugaison

❸ a. À l'aide du lexique, retrouvez le verbe intrus dans chaque liste et donnez ses temps primitifs.

1. debet • terretis • jubet • laborat • videtis
2. relinquit • jurat • vincitis • legimus • intellegis
3. cupimus • facit • rapiunt • scio • vincis

b. Identifiez sa conjugaison : sur quels indices vous appuyez-vous ?

❹ a. Isolez le radical du présent de ces verbes.
reperire • incipere • parare • scire • capere

b. Comment le retrouvez-vous ?

Conjuguer

❺ a. Cherchez dans le lexique la carte d'identité complète et le sens du verbe mitto.

b. À quelle conjugaison appartient-il ? Isolez le radical du présent.

c. Conjuguez-le au présent de l'indicatif en latin.

❻ a. Associez chaque verbe à sa traduction.
1. scribunt **2.** scit **3.** debemus **4.** defendit **5.** valeo
6. videbamus **7.** occidunt **8.** dicebas **9.** mittis
a. tu envoies **b.** nous voyions **c.** ils tuent **d.** nous devons **e.** je me porte bien **f.** tu disais **g.** il défend **h.** elle sait **i.** ils écrivent

b. À quelle conjugaison appartient chaque verbe ?

❼ Complétez la grille avec les formes verbales traduites en latin. Vous trouverez verticalement le nom du premier consul de Rome.
1. Je suis absent.
2. Il était.
3. Ils sont.
4. Il est.
5. Nous sommes.
6. Vous êtes.

Lire, comprendre, traduire

❽ Associez chaque phrase latine à sa traduction puis mettez les phrases dans l'ordre chronologique.
1. Brutus superbiam Tarquinii non tolerabat.
2. Romani arma capiunt.
3. Junius Brutus Tarquinii sororis filius erat.
4. Brutus regem expellit.
5. Lucium Tarquinium Romani Superbum vocabant, nam rex tyrannus erat.
a. Les Romains prennent les armes.
b. Junius Brutus était le fils de la sœur de Tarquin.
c. Brutus ne tolérait pas l'orgueil de Tarquin.
d. Brutus chasse le roi.
e. Les Romains appelaient Lucius Tarquin le Superbe car le roi était un tyran.

❾ a. Lisez ces phrases et relevez les verbes.
1. Brutus Collatino, inde Lucretio ac Valerio cultrum tradit et amici jurant.
2. Lucretiam Brutus amicique in forum deferunt, deinde populum Romanum concient.

b. Retrouvez le sujet (ou groupe sujet) de chaque verbe, puis donnez le cas et la fonction des mots (ou groupes de mots) soulignés.

c. Proposez une traduction en vous aidant du texte p. 12.

❿ **Sententia**

Verum cur non audimus ? quia non dicimus.

(Publilius Syrus, *Sentences*)

1. Pourquoi n'entendent-ils pas la vérité ? parce qu'ils ne la disent pas.
2. Pourquoi n'entendons-nous pas la vérité ? parce que nous ne la disons pas.

Choisissez la bonne traduction et apprenez par cœur cette maxime en latin.

Reconnaitre une préposition, un préfixe

11 La préposition **ex/e** (devant une voyelle) + **Abl.** signifie « hors de » ; elle sert de préfixe dans la composition de nombreux mots latins.

→ Romani **ex oppido** Tarquinium **expellunt.**
Les Romains chassent Tarquin de la citadelle.

a. Établissez la carte d'identité du verbe expellunt et citez le verbe français qui en est issu.

b. Pour chacun de ces verbes, donnez un verbe synonyme composé avec le préfixe *ex-*.

envoyer

pardonner

élever

dispenser

c. Pour chacun de ces verbes, donnez un verbe antonyme composé avec le préfixe *ex-*.

inclure

accepter

inspirer

rapatrier

d. Que signifient les locutions *ex æquo*, *ex cathedra*, *ex voto* ? Comment sont-elles formées ?

Utilisez le site du **CNRTL** (Centre national de ressources textuelles et lexicales) pour vos recherches.
www.cnrtl.fr/portail

12 Plusieurs verbes dérivés sont formés sur le verbe vocare (*appeler*), construit sur la racine VOC-, comme le nom vox, *vocis*, f. (voix).

a. Associez chaque préfixe au verbe qui convient.

in- (dans) ●   ● revoco, as, are
pro- (en avant) ●   ● convoco, as, are
re- (de nouveau) ●   ● evoco, as are
ad- (vers) ●   ● invoco, as, are
e-/ex- (en sortant de) ●   ● advoco, as, are
cum- (avec) ●   ● provoco, as, are

b. Retrouvez la traduction de chaque verbe.

appeler, faire sortir, susciter

faire revenir

appeler à soi, inviter

invoquer, supplier

réunir, convoquer

provoquer

c. Associez chaque nom à un verbe latin (a) et donnez son sens.
évocation • invocation • révocation • convocation • provocation

---

L'arbre à mots

13 Les mots suivants sont les fruits des branches grecque ou latine de l'arbre à mots : recopiez-les, encadrez leur radical et notez G (grec) ou L (latin) pour préciser leur origine.

dénominateur • nominatif • onomastique • plurinominal • patronyme • onomatopée • toponymie

Remarque : en grec ancien, on trouve les formes ὄνομα ou ὄνυμα (onyma).

14 Cherchez comment se dit *nom* en italien, portugais, roumain, espagnol, anglais et allemand. Que remarquez-vous ?

15 Complétez les phrases avec les mots de l'exercice **13**.
1. Le ... est le nom de famille commun aux descendants d'un même ancêtre.
2. Dans un scrutin ..., les électeurs votent pour une liste de plusieurs candidats.
3. Une ... est un mot qui imite un bruit par ses sonorités.
4. Le ... d'une fraction indique en combien de parties l'unité a été divisée.
5. L'... est la science qui étudie les noms propres, dont fait partie la ... qui est consacrée aux noms de lieu.
6. Le ... est le cas qui sert à nommer le sujet.

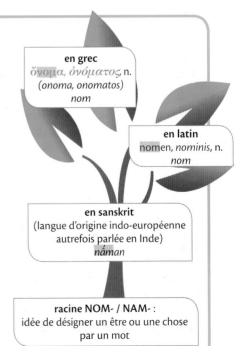

en grec
ὄνομα, ὀνόματος, n.
(onoma, onomatos)
nom

en latin
nomen, *nominis*, n.
nom

en sanskrit
(langue d'origine indo-européenne autrefois parlée en Inde)
náman

racine NOM- / NAM- :
idée de désigner un être ou une chose par un mot

La République romaine : un héros, un symbole

Après l'expulsion des Tarquins, les Romains abolissent la royauté et se donnent un nouveau régime politique, que nous appelons République (de res publica, « la chose publique »).

• • • • • « Père » fondateur, père inflexible

Brutus est honoré comme le conditor Romanae libertatis (le fondateur de la liberté romaine) car il a osé se dresser contre les derniers représentants de la monarchie étrusque. Il est le premier à être nommé consul (consul) : c'est désormais la plus haute fonction politique à Rome. Elle est exercée par deux citoyens élus pour un an.

Brutus est aussi admiré pour son intransigeance : alors que ses deux fils sont impliqués dans un complot visant à rétablir la royauté, il les fait condamner à mort et exécuter sous ses yeux.

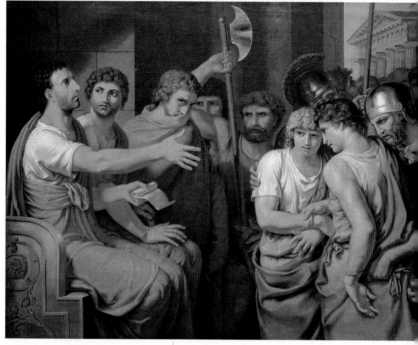

❶ À votre avis, pour quelles raisons les Romains ont-ils confié le pouvoir suprême de l'État à deux hommes plutôt qu'à un seul ?

❷ Décrivez la scène. Quels personnages reconnaissez-vous (doc. ①) ? Quelles émotions peut-on lire sur les visages ?

① Johann Heinrich Wilhelm Tischbein, *Brutus découvre les noms de ses fils sur la liste des conspirateurs*, huile sur toile (156 x 206 cm), 1800, musée des Beaux-arts de Zurich.

• • • • • Les insignes du pouvoir

Le cortège officiel du consul est constitué de douze lictores (licteurs). Ces officiers publics portent sur l'épaule les fasces (faisceaux) : des baguettes de bois liées par des courroies et contenant une hache dont le fer dépasse. Elles symbolisent le droit de vie et de mort.

② *Licteur*, statuette en bronze (H. : 18,4 cm), env. 20 avant J.-C., British Museum, Londres.

Quand Brutus chassa le tyran, ce fut le début de la liberté. On limita à un an le pouvoir des deux consuls, mais on ne retrancha rien de la puissance des rois. Toutes leurs attributions, tous leurs insignes demeurèrent aux consuls ; on évita simplement de donner des faisceaux aux deux en même temps, pour ne pas les faire paraître deux fois plus redoutables.

Tite-Live, *Histoire romaine*, livre II, chapitre 1, 7-8.

❸ Nommez en latin et en français l'objet que porte le personnage (doc. ②). Quelle fonction exerce-t-il ?

❹ Que tient le personnage situé au centre (doc. ①) ? Qu'est-il prêt à faire ? Sur l'ordre de qui ?

••Le modèle républicain

Grâce à la tradition historique, qui mêle légende et réalité des faits, Brutus est devenu le symbole du peuple recouvrant sa liberté face à un tyran. Il est ainsi la figure de référence pour les révolutionnaires français qui abolissent la royauté et proclament la République en 1792. Il est aussi le modèle des fondateurs de la République américaine (1776) et de nombreux États qui se revendiquent comme « républicains » à partir du xixe siècle. Encore aujourd'hui, les faisceaux des licteurs, insigne du pouvoir suprême, constituent le premier des emblèmes républicains.

④ Denier d'argent frappé à Rome en 54 avant J.-C.

③ Carte dite *Brave de Pique*, jeu révolutionnaire, 1794, BNF, Paris.

⑤ Quels sont les deux mots inscrits sur la pièce (doc. ④) ? Que représentent les personnages ?

⑥ En 1794, les rois sont aussi chassés des jeux de cartes. Qui est représenté en « Brave de Pique » (doc. ③) ? Pourquoi ?

⑦ Qui habite dans le palais de l'Élysée ? Quel emblème de la République romaine reconnaissez-vous (doc. ⑤) ? Que symbolise-t-il ?

⑧ Quel animal figure sur le portail ? Pourquoi ?

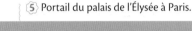

⑤ Portail du palais de l'Élysée à Paris.

Pour aller plus loin

PARCOURS CITOYEN

La République et ses symboles

> Dans chaque pays, la République se définit à travers des représentations.

Recherchez les mots et les symboles qui représentent la République française aujourd'hui et présentez-les sous la forme d'un abécédaire illustré.

MNE

Un **parcours** sur la République à travers les siècles.

Virtutis exempla : des modèles d'héroïsme

À peine instaurée, la République romaine dut affronter le roi étrusque Porsenna, venu attaquer Rome pour y rétablir la monarchie des Tarquins. Trois personnages s'illustrèrent alors par leur courage : les Romains les honorent comme des héros de légende.

A

Horatius Coclès [= le Borgne] portait ce surnom parce qu'il avait perdu un œil dans un autre combat. Il se tint à la tête du pont de bois qui menait à Rome et il résista seul à toute l'armée ennemie, jusqu'à ce que le pont fut coupé derrière lui. Il tomba alors dans le Tibre, et, tout armé, il rejoignit les siens à la nage.

B

Alors que Porsenna assiégeait Rome, Mucius entra dans son camp pour le tuer, mais il poignarda un officier vêtu de pourpre qu'il avait pris pour le roi. Arrêté et traîné devant Porsenna, il mit sa main droite sur le brasier d'un autel pour se punir de son erreur ; il déclara que trois-cents Romains, aussi décidés que lui, avaient juré la mort du roi. Celui-ci, effrayé, déposa les armes et prit des otages.

C

Parmi les otages que Porsenna retenait prisonniers, se trouvait Clélie, une jeune fille noble. Une nuit, elle s'échappa du camp sans attirer l'attention de ses gardiens, s'empara d'un cheval au hasard et traversa le Tibre. Mais les envoyés de Porsenna vinrent la réclamer et elle lui fut rendue. Cependant, le roi, plein d'admiration pour le courage de la jeune fille, lui permit de rentrer dans sa patrie avec les otages de son choix.

Observer les œuvres

❶ **Sur quelle image** Porsenna **figure-t-il ?**

❷ La victoire est souvent personnifiée par une déesse apportant une couronne au héros. **Sur quelle image apparait-elle ?**

❸ Après son exploit, l'un des héros a reçu le surnom de Scaevola (« le Gaucher »). **D'après vous, quel document le met en scène ? Expliquez la raison de ce surnom.**

❹ Un dieu barbu appuyé sur une cruche déversant de l'eau est la personnification traditionnelle des fleuves. **Sur quelles images cette représentation figure-t-elle ? De quel fleuve s'agit-il ?**

Associer texte et image

❺ Au IVe siècle, un historien a résumé les trois épisodes légendaires (Aurelius Victor, *Des hommes illustres de la ville de Rome*, 11, 12 et 13).

Associez chaque texte (A B C) au document qui l'illustre.

❻ **Rendez sa légende à chaque œuvre** (①②③).

Frans Wouters, *Clélie échappant aux Étrusques*, 1650, huile sur panneau, collection privée.

Charles Le Brun, *Horatius Coclès defendant le pont Sublicius*, 1643, huile sur toile (122 x 172 cm), Dulwich Picture Gallery, Londres.

Giovanni Francesco Romanelli, *Mucius Scaevola devant Porsenna*, 1655-1658, fresque du palais du Louvre, Paris.

①

La menace de la discorde

Une dizaine d'années après sa création, la République romaine affronte une grave crise intérieure, qui oppose patriciens et plébéiens.

Lecture

La trahison de Coriolan

Le noble Caius Marcius, surnommé Coriolanus pour avoir conquis Corioles, une ville volsque du Latium, s'oppose vivement au parti des plébéiens à Rome. Il s'exile alors chez ses anciens ennemis et les pousse à reprendre les armes contre les Romains. En 488 avant J.-C., alors que l'armée volsque, menée par Coriolan, campe devant Rome, une ambassade de femmes vient réclamer la paix.

Un soldat aperçoit dans la foule Véturie et Volumnie, la mère et l'épouse de Coriolan, avec ses enfants.

– Mater tibi conjunxque et liberi adsunt.

Coriolan, bouleversé, presque comme un fou, s'élance de son siège et court vers sa mère pour la prendre dans ses bras ; mais la femme passe soudain des prières à la colère :

– Sine, priusquam complexum accipio, sciam, inquit, ad **hostem** an ad filium venerim, captiva materne in castris tuis sim. […]
5 Non, cum in conspectu Roma fuit, succurrit : intra illa moenia domus ac penates mei sunt, mater, conjunx liberique ? Ergo ego nisi peperissem,
10 Roma non oppugnaretur ; nisi filium haberem, libera in libera patria mortua essem ; […] de his videris, quos, si pergis, aut immatura mors aut longa servitus manet.

– Arrête,   , il faut que je sache, dit-elle,   ,
5   . […]

              :
              ?
10   ;
                ;
[…] au sujet de ceux-ci [= les enfants], tu pourrais voir que,
                .

À ces mots, l'épouse et les enfants de Coriolan l'embrassent ; les pleurs de toutes ces femmes, leurs lamentations sur leur sort et sur celui de la patrie brisent enfin la détermination du guerrier. Après avoir serré sa famille dans ses bras, il lève le camp.

Titus Livius, *Ab Urbe condita libri*, liber secundus.

Tite-Live, *Histoire romaine*, livre II, chapitre 40, 4-9.

---

hostis, *is*, **m. : l'ennemi**

À l'origine, ce nom désigne celui qui est étranger, que l'on accueille comme un hôte, comme le grec ξένος (*xénos*). Puis il a pris le sens d'« ennemi public », alors que le nom inimicus (in + amicus) désigne un « ennemi privé » (un « non-ami »).

Soma Orlai Petrich, *Coriolanus*, huile sur toile (140 x 260 cm), 1869, musée Munkácsy Mihály, Békéscsaba (Hongrie).

Étymologie

a. Le nom hospes, *hospitis*, m. qui signifie *hôte* (celui qui reçoit ou celui qui est reçu) appartient à la même famille que hostis. Lequel de ces deux noms retrouvez-vous dans les mots suivants ? Donnez leur sens. hostile • hospice • hospitalité • hôtel • hostilité • inhospitalier • hôtesse • hôpital

b. En ancien français (fin du XIIe siècle), « prendre en *hostage* » signifie « loger chez soi ». Que signifie aujourd'hui l'expression « prendre en otage » ?

Comprendre le texte et l'image

1 Lisez à haute voix les paroles prononcées en latin.

2 Complétez leur traduction avec les groupes de mots qui conviennent.

si je suis venue auprès d'un ennemi ou auprès d'un fils • Ainsi donc, moi, si je n'avais pas été mère, Rome ne serait pas attaquée • Ta mère, ta femme et tes enfants sont là • Quand Rome s'est trouvée en vue, ceci ne t'est-il pas venu à l'esprit • avant d'accepter que tu m'embrasses • si tu persistes, c'est une mort prématurée ou une longue servitude qui les attend • si dans ton camp je suis ta captive ou ta mère • si je n'avais pas eu de fils, je pourrais mourir libre dans une patrie libre • entre ces murailles, il y a ma maison, mes pénates, ma mère, mon épouse et mes enfants

3 Selon Tite-Live, comment Véturie essaie-t-elle d'émouvoir Coriolan ?

4 Quels sentiments veut-elle provoquer en lui ?

5 Quelle est la réaction de Coriolan ?

6 Identifiez et décrivez les différents personnages sur le tableau. Quelles émotions expriment-ils ?

7 Quel geste fait Véturie ? Que montre-t-elle ?

8 Quels mots du texte de Tite-Live semble-t-elle prononcer ?

9 Que semble regarder Coriolan ? Pourquoi ?

Statue en bronze d'un notable
dit « le Harangueur »,
(H. : 170 cm), env. 150 avant J.-C.,
musée archéologique de Florence.

Langue — Le nom, la déclinaison

OBSERVER et REPÉRER

La leçon de la fable

En 494 avant J.-C., les plébéiens, révoltés contre les patriciens, se sont retirés hors de Rome.
Ménénius Agrippa est chargé de négocier leur retour.

1. Menenius Agrippa plebeii populi iram fabula placat.
Ménénius Agrippa apaise la colère du peuple plébéien grâce à une fable.

2. « Membra et stomachus in concordia vivebant.
« Les membres et l'estomac vivaient dans la concorde.

3. Membra vero quondam **stomacho** cibum non jam dant quod eum pigrum putant.
Mais un jour les membres ne donnent plus de nourriture **à l'estomac** parce qu'ils le jugent paresseux.

4. Mox **membris** quoque cibus deest : nam stomachi auxilium eis necessarium est.
Bientôt la nourriture manque aussi **aux membres** : car le secours de l'estomac leur est nécessaire.

5. Ita neque patricii sine plebeio populo, neque plebeius populus sine patriciis vivere possunt. »
De même, les patriciens ne peuvent vivre sans les plébéiens, ni les plébéiens sans les patriciens. »

À l'oral

Choisissez la phrase que pourrait prononcer cet orateur s'il était Ménénius Agrippa.
a. Sine stomachi auxilio membra vivere possunt.
b. Sine patriciis plebeius populus vivere potest.
c. Patricii et plebeius populus in concordia vivere debent.

Identifiez les fonctions en français et les cas correspondants en latin

Pour répondre, vous pouvez vous aider du Mémento **p. 154**.

1 **Phrases 2 et 4** Donnez la fonction des noms en bleu. Retrouvez les noms latins correspondants : quel est leur cas ?

2 **Phrase 3** Quelle est la fonction du nom en vert ? Quel est le cas du nom latin correspondant ?

3 **Phrase 4** Mêmes consignes pour le nom en orange.

4 **Phrases 3 et 4** Identifiez la fonction des noms en gras. Quel est le cas correspondant en latin ?

5 **Phrase 2** Quelle est la fonction du groupe de mots en rose ? Quel est le cas correspondant en latin ?

Faites le bilan

6 Recopiez et complétez le tableau : en vous aidant des réponses précédentes, placez chacun de ces mots ou groupes de mots dans la case qui convient puis indiquez leur cas. plebeii populi • iram • fabula (phrase 1)
patricii • sine plebeio populo • plebeius populus • sine patriciis (phrase 5)

Fonction	Sujet	COD	CDN	C. circonstanciel
Mots ou groupes de mots latins				
Cas				

Écoutez les textes du chapitre à cette adresse :
lienmini.fr/latin4-020

APPRENDRE

Accédez à un **schéma animé et commenté** à cette adresse : **lienmini.fr/latin4-023**

1 La déclinaison, cas et fonctions

▶ En latin, lorsqu'un nom change de fonction, il change de **terminaison**. On appelle **cas** la forme prise par un nom selon sa **fonction** dans la phrase.

▶ La **déclinaison** latine est l'ensemble des **six cas** correspondant à des **fonctions**. Les cas sont marqués par des **terminaisons variables** qui s'ajoutent au radical du mot.

| Sujet du verbe | Complément circonstanciel (CC) | Complément d'objet direct (COD) | Complément du nom (CDN) | Complément d'objet second (COS) | Complément d'objet indirect (COI) |

Vétérie <u>vainc</u> par les larmes la colère de Coriolan : « Coriolan, <u>donne</u> la concorde aux Romains et <u>sois utile</u> à la patrie ! »

Veturia Coriolani iram lacrimis <u>vincit</u> : « Coriolane, Romanis concordiam <u>da</u> et patriae <u>prosis</u> ! »

| Nominatif | Génitif | Accusatif | Ablatif | Vocatif | Datif |

2 La carte d'identité du nom

▶ Dans le dictionnaire, un nom latin est toujours présenté de la même façon.

nominatif — génitif sg., le plus souvent réduit à sa terminaison

domina, *ae*, f. : maitresse, souveraine

genre — traduction

▶ Les noms latins sont classés en **cinq types de déclinaisons**.

1re déclinaison	2e déclinaison	3e déclinaison	4e déclinaison	5e déclinaison
-ae	-i	-is	-us	-ei
dominae, *ae*, f. la maitresse	dominus, *i*, m. le maitre	rex, *regis*, m. le roi	manus, *us*, f. la main	dies, *ei*, m. le jour

La terminaison du **génitif singulier** indique **le type de déclinaison** auquel appartient un nom. La partie restante constitue le **radical** du nom.

3 Les noms des 1re et 2e déclinaisons

Cas	1 domina, *ae*, f. : la maitresse		2 dominus, *i*, m. : le maitre		bellum, *i*, n. : la guerre	
	Singulier	Pluriel	Singulier	Pluriel	Singulier	Pluriel
Nominatif	domina	domin**ae**	domin**us**	domin**i**	bell**um**	bell**a**
Vocatif	domina	domin**ae**	domin**e**	domin**i**	bell**um**	bell**a**
Accusatif	domin**am**	domin**as**	domin**um**	domin**os**	bell**um**	bell**a**
Génitif	domin**ae**	domin**arum**	domin**i**	domin**orum**	bell**i**	bell**orum**
Datif	domin**ae**	domin**is**	domin**o**	domin**is**	bell**o**	bell**is**
Ablatif	domina	domin**is**	domin**o**	domin**is**	bell**o**	bell**is**

Vocabulaire

› agricola, *ae*, m. : le paysan
› auxilium, *ii*, n. : l'aide, le secours
› concordia, *ae*, f. : la concorde
› ira, *ae*, f. : la colère
› populus, *i*, m. : le peuple

➡ Voir Mémento **p. 154**

Exercices

 EXERCICES **lienmini.fr/latin4-021**
Saisissez cette adresse dans votre navigateur pour accéder à des **exercices interactifs**.

Conjuguer

❶ a. Isolez le radical du présent de ces verbes.
incipere • manere • parare • docere • scire • dare • vincere • cupere • laborare • posse
b. Comment le retrouvez-vous ?

❷ Conjuguez les verbes de l'exercice **❶** au présent et à l'imparfait de l'indicatif, en latin et en français.

Identifier la déclinaison et décliner

❸ a. À quelle déclinaison appartient chaque nom ?
consilium, *ii* • fabula, *ae* • amicus, *i* • verbum, *i* • terra, *ae*
b. Quel indice vous permet de répondre ?
c. Écrivez chaque nom à l'accusatif.

❹ a. Quel est le radical de chacun de ces noms ?
sententia, *ae* • pax, *pacis* • patria, *ae* • plebs, *bis* • principium, *i* • cibus, *i* • conjunx, *ugis*
b. Donnez le type de déclinaison pour chacun d'eux.

Reconnaitre cas et fonctions

❺ Quelle est la fonction des mots en gras ? Quel est le cas latin correspondant ?
1. Après de longues guerres, **les plébéiens** envoyèrent des ambassadeurs **aux patriciens**.
2. **Le plébéien** parla ainsi :
3. « Écoutez-moi, **patriciens**, je n'ai plus que **des ruines** et je fais des dettes.
4. Mes créanciers me dépouillent de **mon champ**. »
5. Mais **les patriciens** n'écoutèrent pas **le peuple**.
6. Alors **les plébéiens** se retirèrent sur le mont Sacré.

❻ Lisez chaque phrase en français, recopiez la phrase en latin et complétez-la.
1. Les Romains préparaient la guerre et la colère occupait les esprits.
Romani ... parabant et ... animos occupabat.
2. Les patriciens craignaient la colère des paysans, mais Ménénius Agrippa voulait apporter la concorde au peuple. Patricii ... ... timebant, sed Menenius Agrippa ... ... dare volebat.
3. C'est grâce à une fable que le patricien conserva l'aide du peuple. ... patricius ... ... obtinuit.

❼ Complétez la grille avec les mots latins correspondant aux définitions. Vous retrouverez verticalement le nom de l'épouse de Coriolan.
1. Nom de la mère de Coriolan.
2. Patrie de Coriolan.
3. Guerre.
4. Histoire racontée par Agrippa.
5. Nom de famille d'Agrippa.
6. Négation.
7. Colère.
8. Paysan.

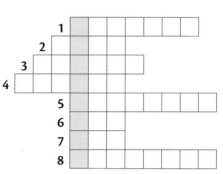

Lire, comprendre, traduire

❽ a. Associez chaque phrase latine à sa traduction puis mettez les phrases dans l'ordre chronologique.
1. Agricolis iratis fabulam narrat.
2. Menenius Agrippa, clarus senator, in sacrum Montem venit.
3. Plebeii agricolae Romani in magna paupertate erant.
4. Romam relinquunt et in Sacrum montem secedunt.
5. Fabula Menenius Agrippa agricolarum iram placat.
6. Patriciis irati erant.
a. Ils quittent Rome et se retirent sur le mont Sacré.
b. Ménénius Agrippa apaise la colère des paysans grâce à une fable.
c. Ils étaient en colère contre les patriciens.
d. Il raconte une fable aux paysans en colère.
e. Les paysans plébéiens romains étaient dans une grande pauvreté.
f. Ménénius Agrippa, un sénateur célèbre, vient sur le mont Sacré.

b. Donnez le cas et la fonction des noms soulignés.

❾ Sententia

Moribus antiquis res stat Romana virisque.

(Cicéron, *De la République*, V, 1)

Complétez la traduction en choisissant le mot qui convient et apprenez la maxime par cœur.

C'est grâce à la façon de vivre et aux ○ *dieux* ○ *hommes* ○ *peuples* d'autrefois que l'État romain ○ *tient fermement debout* ○ *est né* ○ *s'est enrichi*.

Reconnaitre une préposition, un préfixe

10 La préposition **a/ab** (devant une voyelle) + **Abl.** signifie « loin de » ; elle sert de préfixe (a-, ab-, abs-) dans la composition de nombreux mots latins .

→ Ira a patriciis populum plebeium **abs**trahit.

La colère détourne le peuple plébéien des patriciens.

a. Établissez la carte d'identité du verbe abstrahit et citez un nom français qui en est issu.

b. Isolez le préfixe de ces mots français et associez chacun d'eux à sa définition.

aversion • absolution • s'abstenir • abject • abstinence

1. Ne pas participer à un vote. **2.** Action de se priver volontairement de nourriture. **3.** Dégout pour quelque chose ou pour quelqu'un. **4.** Qui inspire le dégout et le mépris. **5.** Acquittement d'une faute dont on obtient le pardon.

11 Sens propre, sens figuré

Le verbe puto, as, are a d'abord signifié « nettoyer en coupant » (par exemple tailler la vigne), puis « mettre au net », d'où *calculer, juger, penser.*

Recopiez ces verbes : encadrez leur radical et expliquez leur sens.

supputer   amputer

disputer

Étudier une famille de mots

12 Le mot concordia est formé sur le radical CORD- (racine indo-européenne *k'erd), que l'on trouve dans le mot cor, *cordis*, n., le *cœur.* Classez ces mots dans la corole en respectant leur classe grammaticale.

concordant • désaccord • cordialement • concorde • accorder • discorde • discordant • accord • cordial

NOMS

ADVERBE   Racine CORD-   ADJECTIFS

VERBES

13 Et en **grec** ?

Issu de la même racine, le nom χαρδία *(kardia)* désigne l'orifice supérieur de l'estomac, mais aussi le cœur. Il a donné le radical CARD- en français.

a. Trouvez l'intrus dans cette liste.

cardiaque   cardiologue   myocarde

cardinal   péricarde

b. Comment est formé le mot *cardiographie* ? Quel est son sens ?

L'arbre à mots

14 **Les mots suivants sont les fruits de l'arbre à mots : recopiez-les, encadrez leur radical et notez le numéro de leur branche.**

station • système • institutions • obstination • destin • obstacle • constance • restaurer • armistice • statue • statut • stèle

15 **Pour chaque définition, choisissez le mot qui convient parmi ceux de l'exercice 14.**

a. monument érigé à la mémoire d'une personne ou d'un évènement.

b. réparer un objet ou monument en respectant son style initial.

c. persévérance.

d. structures sociales établies par la loi.

e. arrêt des hostilités.

f. position qu'une personne occupe dans la société.

16 **Cherchez comment se dit « être debout » en anglais et en allemand.**

17 « Issu du nom stabulum (endroit où l'on s'arrête), je désigne le bâtiment où sont logés les bestiaux. **Qui suis-je ?** »

L'_ _ _ _ _ _ (6 lettres)

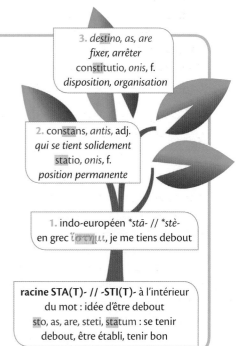

3. *destino, as, are* fixer, arrêter constitutio, *onis,* f. *disposition, organisation*

2. constans, *antis,* adj. *qui se tient solidement* statio, *onis,* f. *position permanente*

1. indo-européen *stā- // *stè- en grec ἵστημι, je me tiens debout

racine STA(T)- // -STI(T)- à l'intérieur du mot : idée d'être debout sto, as, are, steti, statum : se tenir debout, être établi, tenir bon

Culture — Patriciens et plébéiens, patrons et clients

Après l'expulsion des rois, la vie publique à Rome s'organise : selon une répartition de pouvoir entre les diverses classes sociales suivant leurs richesses et leur influence.

• • • • Un système politique original

En théorie, l'organisation de la **res publica** (« la chose publique », c'est-à-dire l'État) associe les trois formes de gouvernement définis par les Grecs et les Romains. Elle est symbolisée par la célèbre devise, **Senatus PopulusQue Romanus** (le Sénat et le peuple romain), dont les initiales sont devenues l'emblème de Rome.

① Plaque gravée à Rome.

pouvoir monarchique
les magistrats, dont les premiers sont **les consuls**

> La meilleure constitution est celle qui réunit les trois sortes de gouvernement, **royal**, aristocratique et populaire.
>
> **Cicéron** (106-43 avant J.-C.), *La République*, livre II, 23, 41.

pouvoir démocratique
tous les citoyens, groupés en assemblées (comices)

pouvoir aristocratique
le Sénat, assemblée des plus hauts personnages de la cité

❶ **Que signifient les lettres (doc. ①) ?**

• • • • Patriciens et plébéiens

En pratique, la République romaine est oligarchique : ce sont **les patriciens** (patricii), fiers de descendre des patres, « les pères » des premières familles installées à Rome avec Romulus, qui détiennent le pouvoir. Ils exercent les magistratures puis sont nommés à vie au Sénat (p. 36). La masse de ceux qui n'appartiennent pas à cette aristocratie riche et puissante, soit 90 % des citoyens, constituent **la plèbe** (plebs, *plebis*) : petits propriétaires, paysans, artisans, commerçants. Cette situation a provoqué des crises graves : en 494 avant J.-C., la plèbe menace de faire sécession (p. 24) et obtient d'être représentée par des magistrats spéciaux (les tribuns de la plèbe), ce qui exaspère le patricien Coriolan (p. 22).

❷ **a. Recopiez ces mots :** *aristocratie, démocratie, monarchie, oligarchie.*
b. Écrivez pour chacun d'eux les mots grecs dont ils sont issus.
δῆμος, le peuple • ὀλίγος, peu nombreux • ἄριστος, le meilleur • μόνος, seul • ἄρχειν, diriger, commander • κράτος, le pouvoir
c. Donnez leur sens.

❸ **Que signifie le nom** *plébiscite* **? Sur quel nom latin est-il formé ?**

❹ **Quel vêtement typiquement romain le patricien porte-t-il (doc. ②) ? Quelle impression cette sculpture produit-elle ?**

② Patricien portant les effigies de ses ancêtres (dans sa main droite, son grand-père ; dans sa gauche, son père).
Statue en marbre (H. : 165 cm), Ier siècle avant J.-C., musées du Capitole, Rome.

MNE — Une **étude d'œuvre**, pour étudier cette statue et la technique de la **sculpture**.

PEAC

••Patrons et clients

Un système d'échanges codifié, appelé *clientélisme*, s'est développé dès la période royale : il unit les citoyens romains selon leur fortune et leur influence dans une forme d'assistance mutuelle. Tout citoyen peut ainsi être admis comme *client* (cliens, *entis*) par le *chef de famille* aisée (pater familias) qu'il honore comme *patron* (patronus) : il se met à sa disposition, il vote pour lui, en échange de sa protection. Suivant un rituel quotidien, les clients se rendent chez leur patron pour la *salutation matinale* (salutatio matutina) : ils attendent ses ordres et l'accompagnent où il le souhaite. Les plus pauvres font la queue dès l'aube pour recevoir une aumône (un peu de nourriture, quelques pièces de monnaie) dans un petit panier d'osier appelé *sportule* (sportula). Les Romains les plus riches aiment s'entourer d'une clientèle très nombreuse pour marquer leur prestige. Sur 450 000 citoyens habitant Rome en 50 avant J.-C., 320 000 plébéiens ne subsistent que grâce aux distributions de blé gratuites et aux dons de leur patron.

③ Roberto Bompiani, *Salutatio matutina*, *Sportula*, 1899, Galerie nationale d'art moderne, Rome.

Trois deniers, c'est ce que vaut ton invitation, Bassus, et tu ordonnes que dès le matin, on monte la garde, en toge, dans ton atrium, puis qu'on se colle à tes basques, qu'on marche devant ta chaise à porteurs, qu'on t'accompagne chez une dizaine de veuves. Certes, elle ne vaut pas grand-chose ma petite toge, elle est vieille et usée ; pourtant, Bassus, je ne pourrais pas me payer la même pour trois deniers.

Martial (env. 40-104), *Épigrammes*, livre IX, 101.

❺ Quelle racine retrouvez-vous dans les noms *patricien* et *patron* ?

❻ À qui s'adresse Martial ? Sur quel ton ? De quoi se plaint-il ?

❼ Observez le tableau : que représente-t-il (doc. ③) ? Où se passe la scène ?

❽ Décrivez les personnages. Que tient celui qui est de dos au centre ?

❾ Lequel de ces personnages pourrait être le poète Martial ? Expliquez votre choix.

APPRENTI ARCHÉOLOGUE

Sur les pièces de monnaie romaines figure souvent une déesse qui personnifie l'unité du peuple romain.

→ Déchiffrez le nom de cette déesse sur la pièce et traduisez-le.

→ Elle tient un objet nommé *cornucopia* : quel est son nom en français ? Que symbolise-t-il ?

Pièce en or, IIᵉ siècle après J.-C., collection Jean Vinchon, Paris.

La République des Anciens

Au fil du temps, la République romaine renforce le pouvoir de ses institutions et illustre ses valeurs par des figures d'hommes politiques exemplaires.

Lecture

Cincinnatus, laboureur et dictateur

En 458 avant J.-C., Rome est à nouveau menacée par ses voisins. Tandis que le
consul Minucius et ses légions sont assiégés par l'armée ennemie, le Sénat décide
de confier les pleins pouvoirs à Lucius Quinctius dit Cincinnatus (le Bouclé).

Spes unica imperii **populi Romani,**
L. Quinctius trans Tiberim colebat
agrum [...]. Ibi ab legatis – seu fossam
fodiens, palae innixus, seu cum araret,
5 operi certe, id quod constat, agresti
intentus – salute data in vicem reddi-
taque rogatus ut, quod bene verteret
ipsi reique publicae, togatus mandata
Senatus audiret, admiratus rogitans-
10 que « satin salve ? » **togam** propere
e tugurio proferre uxorem Raciliam
jubet. Qua simul absterso pulvere ac
sudore velatus **processit, dictatorem**
eum legati gratulantes consalutant,
15 in urbem vocant, qui terror sit in exer-
citu **exponunt.** [...]

Unique espoir de défendre le pouvoir ⬛⬛⬛
⬛⬛⬛
⬛⬛⬛ [...]. C'est là que les délégués [du Sénat] le
trouvèrent, soit en train de creuser un fossé, appuyé sur
sa bêche, soit en train de labourer, mais certainement
5 absorbé par un travail de paysan, ce qui est un fait
établi ; après des salutations réciproques, ils lui deman-
dèrent, pour son intérêt personnel et pour la République,
de mettre sa toge et d'écouter les instructions du Sénat ;
surpris, répétant la question « Cela va-t-il bien ? », ⬛⬛
10 ⬛⬛⬛ que son épouse Racilia aille vite chercher ⬛⬛⬛
⬛⬛ dans sa chaumière. L'ayant revêtue, ⬛⬛⬛
après avoir essuyé la poussière et la sueur ; ⬛⬛⬛
⬛⬛⬛, ils
15 le convoquent pour aller en ville, ils lui ⬛⬛⬛ la
terreur qui règne dans l'armée. [...]

*Cincinnatus mène une campagne éclair, libère le consul assiégé, écrase l'armée
ennemie et rentre à Rome en triomphateur.*

Quinctius sexto decimo die dictatura in
sex menses accepta se **abdicavit.**

Le seizième jour, Quinctius ⬛⬛⬛ à la dictature qu'on
lui avait conférée pour six mois.

Cincinnatus serait aussitôt rentré chez lui pour labourer son champ.

Titus Livius,
Ab Urbe condita libri, liber tertius.

Tite-Live (59 avant J.-C.-17 après J.-C.),
Histoire romaine, livre III, chapitres 26 (8-10) et 29 (7).

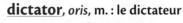

dictator, *oris*, m. : le dictateur

Ce nom se rattache au verbe dictare, dire à haute
voix, répéter, dicter, lui-même formé sur le verbe dicere,
dire. Le dictator est « celui qui dicte » les instructions à
suivre. À Rome, la dictatura est décrétée à titre exceptionnel en cas de crise grave : elle est confiée à un homme
qui dispose alors de tous les pouvoirs pour un temps
limité, six mois en général.

Vocabulaire pour traduire
> trans Tiberim : de l'autre côté du Tibre
> eum, pronom personnel à l'Acc. = Cincinnatum
> gratulantes : en le félicitant
> abdicare se + Abl. : renoncer à (une fonction)

Juan Antonio Ribera y Fernandez, *Cincinnatus quitte sa charrue pour dicter les lois de Rome*, huile sur toile (160 x 215 cm), 1804, musée du Prado, Madrid.

Étymologie

a. Quelle racine latine retrouvez-vous dans les noms suivants ? Attention ! Il y a un intrus : relevez-le.

malédiction • dictée • autodidacte • dictaphone • prédiction • dicton • interdiction

b. Recopiez ces mots et donnez une brève définition pour chacun d'eux.

c. Quel est aujourd'hui le sens des noms *dictateur* et *dictature* ?

Comprendre le texte et l'image

1 Lisez à haute voix le texte latin.

2 Complétez la traduction du texte (mots latins en gras) en vous aidant du vocabulaire et du lexique.

3 Quelles qualités le comportement de Cincinnatus met-il en valeur ?

4 Quel moment du récit de Tite-Live le tableau illustre-t-il ?

5 Décrivez les personnages (vêtements, attitudes).

6 Que semble signifier le geste de Cincinnatus ?

7 Quels éléments symbolisant le pouvoir reconnaissez-vous ? Qui les porte ?

8 Où se passe la scène ? Décrivez le décor.

OBSERVER et REPÉRER

De l'or ou des navets ?

1. Romani cum vicinis populis bellum gesserunt.
Les Romains ont fait la guerre avec les peuples voisins.

2. Ut Cincinnatus, Manius Curius Dentatus vir clarus erat, sed modestam vitam agebat.
Comme Cincinnatus, Manius Curius Dentatus était un homme illustre, mais il menait une vie modeste.

3. Cum populo Samnitico pugnavit et Romanis magnam victoriam reportavit.
Il combattit avec le peuple samnite et remporta une grande victoire pour les Romains.

4. Samnitici Dentato legatos miserunt. Romano aurum dare voluerunt. Les Samnites envoyèrent des ambassadeurs à Dentatus. Ils voulurent offrir de l'or au Romain.

5. Dentatus in foco rapas torrebat : « Malo, inquit, rapas paucas habere et multum aurum habentibus imperare ! »
Dentatus faisait cuire des navets sur le feu : « Je préfère, dit-il, avoir quelques navets et commander à ceux qui ont beaucoup d'or ! »

Jean-François-Pierre Peyron,
Manius Curius Dentatus refusant les présents des Samnites, 1787, musée des Beaux-Arts, Marseille.

─ À l'oral ───────
Parmi ces légendes, laquelle ne convient pas ?
a Dentatus aurum accepit.
b Dentatus rapas torrebat.
c Dentatus aurum recusavit.

Identifiez les temps du récit

1 **Phrases 1 et 4** Relevez les verbes conjugués en latin. Isolez le radical de la terminaison.

2 **Phrase 3** Relevez les verbes. À quelle personne sont-ils conjugués ? Grâce à quel indice le repérez-vous en latin ?

3 Par quels temps du passé les formes gesserunt (phrase **1**) et miserunt (**4**) sont-elles traduites en français ? Qu'en déduisez-vous sur l'emploi de ce temps en latin ?

4 **Phrase 2** Relevez les verbes. Quel temps reconnaissez-vous ? Justifiez son emploi.

5 En vous aidant de la traduction du verbe torrebat (phrase **5**), justifiez l'emploi de l'imparfait dans le récit.

6 Relevez le verbe conjugué dans les paroles de Dentatus. À quel temps est-il ? Pourquoi ?

Faites le bilan

7 a. À l'aide du vocabulaire et de la carte d'identité du verbe, repérez la forme qui sert de base à gesserunt. Comment ce temps se nomme-t-il ? Isolez son radical : est-il le même que celui de l'imparfait ?
b. Par quels temps peut-on le traduire en français ?

8 Quelles remarques pouvez-vous faire en conclusion sur l'emploi des temps dans le récit ?

Écoutez les textes du chapitre à cette adresse :
lienmini.fr/latin4-030

APPRENDRE

SCHÉMA

Accédez à un **schéma animé et commenté** à cette adresse :
lienmini.fr/latin4-033

1 L'emploi des temps, *infectum* et *perfectum*

▶ Les temps formés à partir du **radical du présent** expriment une action :
– **en train de se dérouler** au moment présent → présent ;
– **en train de se dérouler**, qui **dure** ou qui se **répète**, dans un récit au **passé** → imparfait.
On les désigne par le terme **infectum**, « non accompli ».

> **Rappel :** le **radical** du **présent** est donné par les **trois premières formes du verbe** citées dans le dictionnaire (**p. 15**).

▶ Les temps formés à partir du **radical du parfait** expriment une **action achevée**, qui s'est déroulée dans **un temps limité** dans un récit au passé.
On les désigne par le terme **perfectum**, « accompli ».

> **Rappel :** le **radical** du **parfait** est donné par la **quatrième forme du verbe** citée dans le dictionnaire (**p. 15**).

▶ Le temps appelé parfait est traduit en français par le **passé simple** ou par le **passé composé**.

▶ **L'imparfait** et le **parfait** sont les principaux temps utilisés dans un récit.

Legati apud Dentatum <u>venerunt</u>. Dentatus in foco rapas <u>torrebat</u>.
Les ambassadeurs <u>vinrent</u> chez Dentatus. Dentatus <u>faisait cuire</u> des navets sur le feu.

action ponctuelle, à un moment précis et à durée limitée

action en cours de déroulement = il était en train de faire cuire

---

pugno, as, are, avi, atum : combattre

radical du présent : **pugna-**

| (Nunc) Romani **pugnant**. (En ce moment) les Romains **combattent**. | (Olim) Romani **pugnabant**. (Autrefois) les Romains **combattaient**. |

pugno, as, are, avi, atum

pugnavi > radical du parfait : pugnav-

Dentatus cum Samniticis pugnavit.
Dentatus **combattit** / **a combattu** avec les Samnites.

2 L'imparfait et le parfait

	Imparfait *je combattais*	Parfait *je combattis, j'ai combattu*		Imparfait *j'étais*	Parfait *j'ai été, je fus*
1ʳᵉ pers. sg.	**pugna**bam	**pugna**vi		**er**am	**fu**i
2ᵉ pers. sg.	**pugna**bas	**pugna**visti		**er**as	**fu**isti
3ᵉ pers. sg.	**pugna**bat	**pugna**vit		**er**at	**fu**it
1ʳᵉ pers. pl.	**pugna**bamus	**pugna**vimus		**er**amus	**fu**imus
2ᵉ pers. pl.	**pugna**batis	**pugna**vistis		**er**atis	**fu**istis
3ᵉ pers. pl.	**pugna**bant	**pugna**verunt		**er**ant	**fu**erunt

Le radical du **parfait** est **fu-**.

Pour toutes les conjugaisons, **l'imparfait** est formé sur le radical du présent, avec le suffixe -**ba** et les terminaisons personnelles du présent.

Le **parfait** est formé sur le radical du parfait et les terminaisons personnelles du parfait :
-**i**, -**isti**, -**it**, -**imus**, -**istis**, -**erunt**.

L'imparfait du verbe **sum** est formé avec le radical **er-** et le suffixe -**a**.

Vocabulaire

> ago, is, ere, egi, actum : pousser en avant, agir, faire, exprimer
> colo, is, ere, colui, cultum : honorer, cultiver, habiter
> gero, is, ere, gessi, gestum : porter
> habeo, es, ere, ui, itum : avoir
> pugno, as, are, avi, atum : combattre

→ Voir Mémento **p. 158**

Exercices

 EXERCICES lienmini.fr/latin4-031

Saisissez cette adresse dans votre navigateur pour accéder à des **exercices interactifs**.

Conjuguer

❶ a. Conjuguez ces verbes au présent de l'indicatif, en latin et en français.
accipere • amittere • condere • posse • concipere
b. Conjuguez-les à l'imparfait et au parfait.

❷ a. Deux verbes lego figurent dans le lexique : recopiez leur carte d'identité. Que constatez-vous ?
b. Isolez pour chacun le radical de l'*infectum* et celui du *perfectum*.
c. Conjuguez-les au présent, à l'imparfait et au parfait.

Reconnaitre les verbes au parfait

❸ Isolez le radical du parfait de chaque verbe.
jubeo, es, ere, jussi, jussum
maneo, manes, manere, mansi, mansum
laboro, as, are, avi, atum
do, das, dare, dedi, datum
doceo, es, ere, docui, doctum

❹ a. Identifiez la personne de ces verbes au parfait et isolez leur radical.
fecistis • duxerunt • veni • scivisti • habuit • fuimus
b. Traduisez-les (passé composé et passé simple).

Conjuguer les verbes au parfait

❺ Donnez la personne de ces verbes puis conjuguez-les oralement en entier.
reddidit • parui • habuistis • vicerunt • vidimus

❻ Identifiez ces formes puis mettez-les au parfait.
dant • ludit • videt • legimus • relinquo • jubes

❼ Aenigma
Une inconnue vous pose une énigme : qui est-elle ?

> Litterae me paverunt, sed litteras ignoro.
> In libris vixi, sed ignarus sum.

Sum ○ capra, une chèvre
      ○ aranea, une araignée
      ○ tinea, une mite

Pour vous aider : pasco / pavi : je nourris / j'ai nourri
vivo / vixi : je vis / j'ai vécu

Lire, comprendre, traduire

❽ a. Suivez le guide et traduisez les phrases.

> › Analysez les verbes en gras et repérez leur sujet.
> › Donnez le cas et la fonction de chaque mot et groupe de mots en couleur.
> › Repérez les coordinations (et, itaque, sed).

1. Patroni panem et vinum clientibus **dabant**.
2. Saepe clientes patronos in forum **ducebant**.
3. Patroni clientibus **prosunt**, et clientes patronis.
4. Itaque clientes numquam **fugiunt**.
5. Clarorum virorum Romanorum vitas **legimus**.
6. Lucius Quictius Cincinnatus et Manlius Curius Dentatus Romanos magnis pugnis **liberaverunt**. Viri clari hostes **vicerunt** sed modestiam vitam **agebant** et ad agros **reverterunt**.
b. Transposez chaque phrase au singulier.

❾ Gradatim
Lisez ces phrases « pas à pas » et proposez une traduction pour la dernière phrase de chaque série.
1. a. Porsenna temptavit.
   b. Porsenna Tarquinios restituere temptavit.
   c. Porsenna rex Etruscorum reges Tarquinios in urbem Romam restituere temptavit.
2. a. Rex montem cepit.
   b. Rex montem cepit urbemque obsidebat.
   c. Primo impetu rex montem Janiculum cepit urbemque Romam obsidebat.
3. a. Horatius Cocles stabat et aciem sustinuit.
   b. Horatius Cocles pro ponte stabat et aciem solus sustinuit.
   c. Horatius Cocles pro ponte Sublicio stabat et aciem hostium solus sustinuit.

❿ Sententia

 Triumpho trium verborum praetulit titulum : VENI, VIDI, VICI.

Pour son triomphe, il fit porter un écriteau avec trois mots :
...., ..., ...

(Suétone, *Vie de Jules César*, XXXVII, 4)

a. Choisissez les verbes pour compléter la traduction et apprenez par cœur la citation en latin.
j'ai vécu • j'ai vaincu • j'ai perdu • j'ai vu • j'ai entendu • j'ai couru • je suis venu
b. Mettez les trois verbes latins au présent puis à l'imparfait.

Reconnaitre une préposition, un préfixe

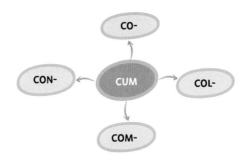

11 La préposition **cum + Abl.** signifie « avec » ; elle sert de préfixe (co-, col-, com-, cor-) dans la composition de nombreux mots latins.

→ Romani **cum** vicinis populis **con**veniunt.
Les Romains se rassemblent avec les peuples voisins.

a. Établissez la carte d'identité du verbe conveniunt et citez un verbe et un nom français qui en sont issus.

b. Isolez le préfixe de ces verbes français et associez chacun d'eux à sa définition.

concéder • comparer • collaborer • covoiturer • correspondre

1. Travailler les uns avec les autres.
2. Accorder un avantage à d'autres personnes.
3. Mettre divers éléments sur le même plan.
4. Échanger des réponses, des lettres, des messages.
5. Partager sa voiture avec quelqu'un.

12 Sens propre, sens figuré

Formé sur le nom sidus, *eris*, n., groupe d'étoiles, le verbe **con**sidero, as, are a d'abord signifié « observer avec soin le ciel étoilé » pour en tirer des présages, puis « examiner attentivement ».

a. Citez un verbe et un nom français qui en sont directement issus. Donnez leur sens.

b. Quel préfixe reconnaissez-vous ?

c. Que signifie l'adjectif *intersidéral* ? Comment est-il formé ?

13 Et en **grec** ?

Comme cum, la préposition σύν (*syn*) marque l'idée d'accompagnement. De nombreux mots français sont formés avec le préfixe syn-/syl-/sym-.

Associez chaque préfixe à un ou plusieurs radicaux pour former des mots. Cherchez ensuite le sens de ces mots.

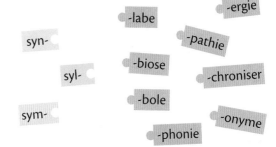

syn- syl- sym-
-labe -ergie -pathie -biose -chroniser -bole -onyme -phonie

titiant, *ils font ti-ti*

14 Formé sur une onomatopée, le verbe titio, as, are signifie *gazouiller* pour les oiseaux, comme le verbe anglais *to tweet*, utilisé aujourd'hui pour signifier « écrire de brefs messages sur internet ».

a. Voici six personnages que vous avez déjà rencontrés. Recopiez leur message.

b. Complétez chaque phrase en choisissant les mots # dans la liste.

agrum • dictator • Etruscis (x 2) • Etruscos • Etruscum • manum • matris • patriam • pontem • rempublicam • Tiberim

c. Identifiez chaque personnage et inscrivez son nom latin dans l'adresse @.

1. @...
Adversus #... sto et #...
Sublicium defendo.

2. @...
Ultimum regem #...
expello et #... condo.

3. @...
E castris #... fugio
et #... transeo.

4. @...
In castris #... sum et
dextram #... in foco pono.

5. @...
Hostibus #... meam prodo
sed #... meae verba audio.

6. @...
#... meum arabam,
nunc #... sum.

Débats à l'assemblée

Dans la Rome républicaine, le centre du pouvoir est le Sénat. C'est l'assemblée où se discutent et se prennent toutes les décisions importantes pour l'État. Ainsi, c'est au Sénat que fut prise la décision de nommer Cincinnatus dictateur (p. 30).

•••••*Senatus*, le conseil des Anciens

Selon la tradition, c'est Romulus, le fondateur de Rome lui-même, qui créa un conseil de cent « anciens », les senatores (de senex, vieillard), chargés de l'assister dans le gouvernement de la cité. Sous la République, le Sénat exerce son autorité dans tous les domaines : il contrôle les élections, les textes de lois, les cultes religieux, l'armée, le gouvernement des provinces, il vote les dépenses et dirige la politique extérieure. Ses 300 membres (900 à la fin de la République) sont nommés à vie, ce qui garantit la stabilité des institutions. Ils sont recrutés dans le registre des anciens magistrats par ordre d'importance hiérarchique et d'ancienneté (p. 38). Ce registre, appelé album (de l'adjectif albus, *blanc*), un tableau blanchi au plâtre, est remis à jour tous les cinq ans par les censeurs et exposé publiquement. C'est pourquoi les sénateurs sont le plus souvent appelés Patres conscripti, « Pères conscrits » (= inscrits sur la liste).

Les sénateurs forment la première classe de la société, signalée par un code vestimentaire prestigieux : ils portent une tunique à large bande pourpre verticale (laticlave), la toge dite « prétexte » (bordée de pourpre), des chaussures en cuir rouge ornées d'un croissant ; au spectacle, les meilleures places leur sont réservées.

① Un sénateur romain.

② Une séance au Sénat.

Les réunions du Sénat sont convoquées à la demande d'un magistrat qui préside la séance depuis sa chaise curule (souvent un consul accompagné de licteurs). Elles ont lieu à la Curie sur le bord du Forum : la porte demeure ouverte, mais les débats ne sont pas publics. Les sénateurs, dont la présence est obligatoire, sont assis sur des bancs en bois ; appelés dans l'ordre de l'album, ils donnent leur avis depuis leur siège, puis ils votent en se déplaçant pour rallier le groupe représentant leur opinion.

❶ Que signifie le nom *album* aujourd'hui ?

❷ Quel verbe latin retrouvez-vous dans le mot *conscrit* ?

❸ Rédigez une légende pour chaque repère (A , B , C) de l'illustration (doc. ①).

❹ Rédigez une légende pour chaque repère (1 à 6) de l'image (doc. ②).

⋅⋅Alerte ! L'État est en danger

Dans l'Antiquité comme aujourd'hui, les États se trouvent souvent confrontés à des crises graves qui entrainent des mesures d'exception. C'est alors que des orateurs, comme Démosthène et Cicéron, lancent les débats dans les assemblées et réveillent les consciences par des discours pleins de fougue.

Alors que Philippe II, devenu roi de Macédoine en 359 avant J.-C., menaçait l'indépendance des cités grecques, l'orateur athénien Démosthène alerta ses concitoyens par quatre discours connus sous le titre de Philippiques.

Ὁρᾶτε γάρ, ὦ ἄνδρες Ἀθηναῖοι, τὸ πρᾶγμα οἷ προελήλυθ' ἀσελγείας ἄνθρωπος [...]. Πότ' οὖν, ὦ ἄνδρες Ἀθηναῖοι, πόθ' ἃ χρὴ πράξετε ;

Voyez en effet, Athéniens, la situation qui a permis à cet homme de pousser son arrogance [...]. Quand donc, Athéniens, quand ferez-vous ce qu'il faut ?... Est-ce que vous voulez, dites-moi, vous promener en vous demandant : « Qu'y a-t-il de nouveau ? » Qu'y aurait-il donc de plus nouveau que de voir un Macédonien vaincre les Athéniens et gouverner toute la Grèce ?

Démosthène, *Philippiques*, Discours I (prononcé en 351 avant J.-C.), 9-10.

③ Démosthène.

Après la mort de Jules César en 44 avant J.-C., les abus de son lieutenant Marc Antoine firent craindre à l'ancien consul Cicéron le risque de tyrannie : il alerta le Sénat par une série de discours qu'il nomma Philippiques.

Sed vos moneo, Patres conscripti, libertas agitur populi Romani, quae est commendata vobis.

Mais, je vous avertis, Pères conscrits, il s'agit de la liberté du peuple romain, qui vous a été confiée. Il s'agit de la vie et de la fortune des meilleurs citoyens. Dans sa cupidité infinie et dans sa cruauté monstrueuse, Antoine les menace depuis longtemps. Il s'agit enfin de votre autorité qui va s'anéantir, si vous ne la maintenez pas dès maintenant. Attention ! Ne laissez pas s'échapper cette bête féroce hideuse et qui pue la peste !

Cicéron, *Philippiques*, Discours VII (prononcé en janvier 43 avant J.-C.), 9, 27.

Documents ③ et ④ : plafond peint par Eugène Delacroix, 1847, Palais Bourbon, siège de l'Assemblée nationale, Paris.

④ Cicéron.

---

⑤ **Lisez à haute voix le début de chaque discours dans sa langue originale.**

⑥ **Quels points communs voyez-vous entre ces deux extraits ? Relevez à qui ils s'adressent, expliquez l'intention de chaque orateur, décrivez le ton sur lequel ils s'expriment.**

⑦ **Quelle information montre que Cicéron était un grand admirateur de Démosthène ?**

⑧ **Où peut-on voir les documents ③ et ④ ? À votre avis, pourquoi le peintre a-t-il choisi ces personnages pour son décor ?**

Pour aller plus loin

PARCOURS CITOYEN

Les assemblées

Constituez un petit dossier sur l'organisation et le rôle des assemblées du peuple en Grèce et à Rome. Expliquez comment elles fonctionnent aujourd'hui en France.

MNE

Un **parcours** sur les assemblées, dans l'Antiquité et aujourd'hui.

Les élections à Rome

Les Romains sont très souvent en campagne électorale car il faut élire chaque année
les hommes chargés de gérer les affaires de la cité pendant un an (magistratus).

① La répartition des citoyens

Tous les cinq ans, tous les **citoyens** (cives) ont obligation
de participer à la cérémonie du cens (census). Ils sont alors
enregistrés selon cinq « classes » (classes), en fonction des
moyens dont ils disposent pour s'équiper en cas de mobilisation dans l'armée
(casque, bouclier, cuirasse, lance, épée, équipement du cheval, etc.). Les plus
riches forment la première classe. Ceux qui n'ont aucun moyen pour s'équiper
sont recensés sur le nombre de leurs enfants mâles (proles), d'où leur nom de
proletarii. Ils sont infra classem (« sous la classe »), ce qui les prive de toute
forme d'expression politique. Ce classement sert de base pour organiser le **vote**,
le paiement de l'impôt et le service militaire.

Qui est citoyen ?
Est citoyen tout homme né libre d'un père citoyen, ayant
atteint la majorité (17 ans). Les femmes, les esclaves et les
étrangers sont donc exclus de la vie civique.

Qui peut être élu ?
Seuls les citoyens qui
disposent d'une certaine
fortune ont le droit de se
présenter aux élections (jus
honorum). Pour être éligible,
il faut avoir accompli le
service militaire (10 ans) et
posséder au moins 400 000
sesterces, soit plus de 400
fois ce que gagne un ouvrier
en un an au Iᵉʳ siècle avant
J.-C. (évalué à 760 euros).

Qui vote ?
Les citoyens ont le droit de vote (jus suffragii) à partir
de 25 ans. Lors des élections, tous les citoyens sont
convoqués dans des assemblées, appelées comitia
(comices), où ils votent dans l'ordre des classes.

Bas-relief en marbre de Paros (H. : 120 cm, L. : 560 cm), env. 100 avant J.-C., musée du Louvre, Paris.
Découvert sur le Champ de Mars à Rome, ce bas-relief ornait le socle de statues offertes par Domitius Ahenobarbus,
censor en 115 avant J.-C., et placées dans un temple. Il met en scène la cérémonie du census.

❶ **De quels mots latins viennent ces mots ? Que signifient-ils ?**
magistrat • suffrage • recensement • prolétaire • censitaire • civisme

❷ Le premier sens du nom classis est *appel* (χαλεῖν, *appeler* en grec).
a. **Dans quel verbe anglais retrouvez-vous ce sens ?**
b. **Que signifiait « la classe » lorsque le service militaire était obligatoire en France ?**

❸ **Sachant que le vote est
arrêté dès que la majorité
des voix exprimées est atteinte,
qui est avantagé par le système
électoral romain (doc. ①) ?**

② Le *cursus honorum*

Pour un homme qui veut faire de la politique, le cursus honorum (carrière des honneurs) consiste à gravir les étapes des magistratures dans l'ordre.
Il peut être réélu plusieurs années de suite.

consul (consul)
• 2 postes (âge minimum 37 ans)
• Premier magistrat de l'État, il convoque et préside le Sénat ainsi que les comices, fait exécuter leurs décisions, lève et commande les armées.

praetor (préteur)
• 8 postes (âge minimum 34 ans)
• Il est chargé de la justice.

aedilis (édile)
• 4 postes (âge minimum 31 ans)
• Il est chargé de l'administration municipale : police, voirie, approvisionnement, jeux publics.

quaestor (questeur)
• 20 postes (âge minimum 28 ans)
• Il est chargé des finances publiques.

En dehors du cursus honorum, il existe encore deux catégories de magistrats élus :

tribunus plebis (tribun de la plèbe)
• 2 à l'origine, puis 10 postes d'un an
• Obligatoirement plébéien, il défend les intérêts de la plèbe ; il a le droit de veto sur toutes les décisions des magistrats.

censor (censeur)
• 2 postes tous les cinq ans
• Élu parmi les anciens consuls, il est chargé d'organiser le recensement et de tenir le registre des sénateurs (p. 36).

③ La cérémonie du cens

La scène se lit comme une bande dessinée en plusieurs séquences.

④ Associez à chaque numéro (1 2 3 4 5 6 7) la légende qui convient (doc. ③).

Debout, lance à la main, Mars, dieu de la guerre, surveille le sacrifice qui lui est consacré.

Les deux soldats représentent la classe dans laquelle le citoyen a été inscrit.

Un censeur pose sa main droite sur l'épaule d'un citoyen pour ratifier sa déclaration.

Derrière les victimes, un censeur s'avance, étendard à la main, symbolisant la mobilisation représentée par les trois soldats derrière lui.

Le greffier inscrit dans un registre l'identité et le montant des ressources du citoyen qui prête serment devant lui.

Devant l'autel, un censeur préside la cérémonie du sacrifice qui clôture le cens.

Trois serviteurs amènent les animaux pour le sacrifice (un taureau, un bélier, un porc).

⑤ Quels éléments montrent que le cens est une cérémonie à la fois politique, militaire et religieuse ?

Atelier de traduction

Lire une inscription

Au début du Iᵉʳ siècle après J.-C., dans le forum d'Auguste à Rome, un portique abritait la galerie des summi viri (les « plus grands hommes »), représentés par une statue avec une inscription gravée dans le marbre. À vous de déchiffrer cette inscription.

1 APPIUS CLAUDIUS

2 C(AII) F(ILIUS) CAECUS

3 4 CENSOR, CO(N)S(UL) BIS, DICT(ATOR), INTERREX III, PR(AETOR) II, AED(ILIS) CUR(ULIS) II, Q(UAESTOR), TR(IBUNUS) MIL(ITUM) III

5 à 11 COMPLURA OPPIDA DE SAMNITIBUS CEPIT, SABINORUM ET TUSCORUM EXERCITUM FUDIT, PACEM FIERI CUM PYRRHO REGE PROHIBUIT, IN CENSURA VIAM APPIAM STRAVIT ET AQUAM IN URBEM ADDUXIT, AEDEM BELLONAE FECIT.

1
2
3
4
5
6
7
8
9
10
11

APPIVS CLAVDIVS
C F CAECVS
CENSOR COS BIS DICT INTERREX III
PR II AED CVR II Q TR MIL III COM
PLVRA OPPIDA DE SAMNITIBVS CEPIT
SABINORVM ET TVSCORVM EXERCI
TVM FVDIT PACEM FIERI CVM PYRRHO
REGE PROHIBVIT IN CENSVRA VIAM
APPIAM STRAVIT ETAQVAM IN
VRBEM ADDVXIT AEDEM BELLONAE
FECIT

Inscription d'Appius Claudius Caecus, mort en 273 avant J.-C., musée de la Civilisation romaine, Rome.

L'identité, la carrière

1 Nommez le personnage à haute voix (lignes **1** et **2**) : nom, prénom, surnom. Que signifient les lettres **C F** (ligne **2**) ?

2 Comment les mots sont-ils écrits ? Comment sont-ils distingués ?

3 Les lignes **3** et **4** donnent la liste des fonctions exercées par le personnage, de la plus ancienne (la dernière) à la plus récente (la première) : relevez celles qui correspondent au cursus honorum traditionnel (p. 39).

4 Quelle fonction exceptionnelle le personnage a-t-il exercé comme Cincinnatus (p. 30) ?

5 Traduisez les lignes **3** et **4** en notant le nombre de fois où certaines fonctions ont été exercées.

Les actions accomplies

La suite de l'inscription (fin de la ligne 4 à 11) donne la liste des grandes actions réalisées par le personnage.

6 **a.** Recopiez ces actions en les disposant ligne par ligne.
b. Repérez les verbes, encadrez-les et retrouvez-les dans le lexique.
c. Repérez les COD et soulignez-les.

7 Proposez une traduction.

Vocabulaire pour traduire

interrex (« inter-roi ») : sénateur chargé d'exercer la fonction de chef suprême en cas de crise jusqu'à l'élection suivante • curulis : « qui a droit à la chaise curule » (symbole de pouvoir) • tribunus militum : « tribun des soldats » (officier supérieur dans la légion) •

Pyrrhus, i, m. : Pyrrhus, roi grec qui lança une grande offensive contre Rome en 280 av. J.-C. • prohibere fieri + Acc. : interdire de faire quelque chose.

Un homme illustre

1. Sabinos, Samnitas, Etruscos bello **domuit**.

2. Viam usque Brundisium lapide **stravit**, unde illa Appia dicitur.

3. Aquam Anienem in urbem **induxit**.

4. Censuram solus omnium quinquennio **obtinuit**.

5. Cum de pace Pyrrhi ageretur […], senex et caecus lectica in Senatum latus turpissimas condiciones magnifica oratione **discussit**.

Pseudo Aurelius Victor,
De viris illustribus urbis Romae, XXXIV.

1. … .

2. … en pierre [depuis Rome] jusqu'à Brindisi, d'où son nom de voie … .

3. … provenant de l'Anio [un affluent du Tibre].

4. …, … durant cinq années complètes.

5. Lorsqu'il fut question de paix avec … […], alors qu'il était … et …, transporté … en litière, il … par un … discours les conditions très humiliantes [fixées par Pyrrhus].

Pseudo-Aurelius Victor (env. 327-390),
Des hommes illustres de la ville de Rome, XXXIV, 5-9.

Entrez dans le texte

❶ Observez les deux personnages sur l'image ci-contre et décrivez leur attitude.

❷ D'après la légende, comment se nomme le plus âgé ? Quelle particularité explique son attitude ?

❸ Retrouvez son surnom dans l'inscription page 40 et traduisez-le.

❹ Retrouvez cet adjectif dans le texte. Un autre adjectif lui est associé : lequel ? À votre avis, quel aspect du personnage qualifie-t-il ?

Identifiez les verbes

❺ En vous aidant du lexique, identifiez les conjugaisons des verbes latins en gras. Donnez leur carte d'identité.

❻ Quel est leur sujet ?

Identifiez les cas et les fonctions

❼ Indiquez les cas puis les fonctions des noms en **a.** vert ; **b.** rose ; **c.** bleu.

Bilan

Un homme illustre, deux témoignages

Le texte de l'inscription et celui d'Aurelius Victor rendent hommage au même homme. Recopiez les éléments qui concordent, en complétant le tableau.

L'inscription	Aurelius Victor
complura oppida de Samnitibus cepit	Samnitas bello domuit.

Complétez la traduction

❽ Dans les phrases **3** et **5**, quelle est la fonction des groupes soulignés ? Traduisez-les.

❾ En vous aidant des réponses précédentes, complétez la traduction des phrases.

Cesare Maccari (1840-1919), *Appius Claudius entrant au Sénat* (détail), 1888, palais Madame, siège du Sénat italien, Rome.

Dies comitiorum venit ! C'est le jour des comices !

Imaginez que vous êtes un citoyen romain en pleine campagne électorale à l'époque de Cicéron (p. 37). Organisez les élections avec vos camarades en variant les situations : vous serez tour à tour un électeur, un candidat, un « client » au service de son « patron ».

Denier d'argent, IIe siècle avant J.-C., BNF, Paris.

A À Rome, sur le Champ de Mars, les citoyens sont regroupés dans divers enclos, délimités par des cordes, selon leur classe (p. 38).
• Quae classis es/estis ?
De quelle classe es-tu/êtes-vous ?
• Primae (Secundae/Tertiae/Quartae/Quintae) classis sum/sumus.
Nous sommes de la première (deuxième/troisième/quatrième/cinquième) classe.
• E saepto nostro exibimus.
Nous allons sortir de notre enclos.

1 Formez cinq groupes d'électeurs et interrogez-vous mutuellement.

B Un pont de bois a été installé pour canaliser la foule. Des clients (p. 29) de différents candidats tentent encore d'influencer ceux qui vont voter un par un.
• Pontem suffragiorum transeo (is, ire). Je traverse le pont des votes.
• [nom propre au génitif] suffragator sum. Je suis le partisan de … .
• Ad suffragium voco (as, are) [nom propre au datif].
J'appelle à voter pour … .
• Nobis sententiam vestram rogo (as, are).
Je demande votre avis (= votre soutien oral) pour nous.
• Minime, vobis suffragia nostra non erunt.
Pas du tout, nos votes ne seront pas pour vous.

2 Mettez les discussions en scène en variant les situations et les personnes.

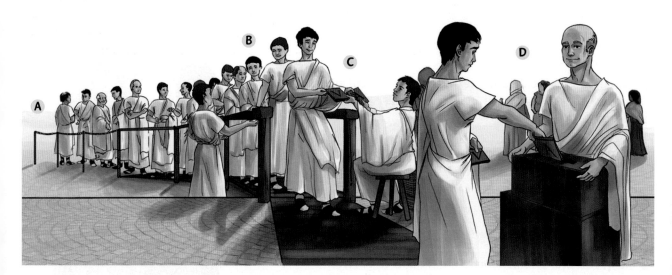

C Selon les cas, chaque votant reçoit une ou deux tablettes enduite(s) de cire.
> **cas n° 1** : élection d'un magistrat. On grave au stylet le nom choisi sur la tablette.
> **cas n° 2** : vote d'une loi. On doit choisir entre deux tablettes marquées **V** ou **A**.
• V = uti rogas. Comme tu demandes (= oui).
• A = antiquo (as, are). Je rejette (= non).

3 Préparez vos tablettes et énoncez votre choix à haute voix.

D Le citoyen dépose son bulletin dans l'urne, sous le contrôle du greffier.
• Quod nomen tibi est ? Quel est ton nom ?
• Mihi nomen est + nom propre au nominatif ou au datif.
• In cista tabellam depono (is, ere). Je dépose ma tablette dans l'urne.
• Suffragium dedit ! A voté !

4 Répondez au greffier qui vérifie votre identité, puis votez.
Au dépouillement, le rogator comitiorum (président des comices) marque un point (punctum) par voix à côté du nom de chaque candidat.
• Puncta tuli/tulimus. J'ai/nous avons remporté les points (= j'ai gagné).

ludendi

Petitio — La candidature

Vous briguez un poste dans le cursus honorum (p. 39). Pour vous faire connaitre, portez une toga candida, une toge « blanchie » à la craie : vous êtes désormais candidatus, un candidat.

Engagez des suffragatores pour vous soutenir. Prenez modèle sur le graffiti, découvert sur un mur de Pompéi, appelant à voter pour un certain Cnaeus Helvius dit le Sabin.

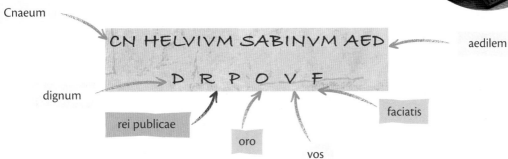

Cnaeum — CN HELVIVM SABINVM AED — aedilem

dignum — D R P O V F

rei publicae — oro — vos — faciatis

1 Choisissez la traduction qui convient pour le graffiti.
○ Je vous prie de réélire Cnaeus Helvius Sabinus [qui est] ancien édile de l'État.
○ Je vous prie de soutenir Cnaeus Helvius Sabinus [qui est] le meilleur pour l'État.
○ Je vous prie de faire édile Cnaeus Helvius Sabinus [qui est] digne pour l'État.

2 Lancez votre appel en vous choisissant une identité romaine (prénom, nom, surnom) et une magistrature (p. 39).

Tous en scène

Formez un groupe de six lecteurs. Apprenez chacun une portion du texte en latin et en français et mettez l'ensemble en scène devant vos camarades (gestes, diction, etc.).

Candidat au consulat en 64 avant J.-C., Cicéron est un « homo novus » : le premier dans sa famille, d'origine plébéienne, à gravir le cursus honorum, ce qui lui vaut le mépris des patriciens. Son frère Quintus lui donne des conseils.

Civitas quae sit cogita, quid petas, qui sis. // Prope cottidie tibi hoc ad forum descendenti meditandum est : // « Novus sum, consulatum peto, Roma est. » // Nominis novitatem dicendi gloria maxime sublevabis. [...] // Homines non modo promitti sibi, praesertim quod a candidato petant, sed etiam large atque honorifice promitti volunt. // Qua re hoc quidem facile praeceptum est, ut quod facturus sis id significes te studiose ac libenter esse facturum.

Quintus Tullius Cicero, *Commentariolum petitionis.*

Pense bien à ces questions. Quel État est-ce donc ? Que vises-tu ? Qui es-tu ? // Presque chaque jour, en descendant au forum, tu dois réfléchir : // « Je suis un homme nouveau, je suis candidat au poste de consul, c'est Rome. » Tu vas surtout faire oublier la nouveauté de ton nom par la gloire de ton éloquence. [...] // Les gens veulent non seulement qu'on leur fasse des promesses, surtout venant d'un candidat, mais aussi qu'on les fasse avec largesse et de manière qui les honore. // C'est donc un précepte facile à suivre : ce que tu vas faire, montre que tu le feras avec zèle et de bon cœur.

Cicéron, *Petit essai sur la candidature*, I et XI.

La puissance

*Les Romains tentent de débarquer à Carthage en 149 avant J.-C.,
image extraite du jeu Total War, Rome II, Sega.*

Menez l'enquête

- Dans quels pays se trouvent aujourd'hui la ville de Carthage et la province d'Épire ?
- Qui a fondé Carthage ? À quelle date ?

de Rome

Au milieu du IIIe siècle avant J.-C., les Romains ont imposé leur domination à la majeure partie de la péninsule italienne. Ils tournent désormais leurs ambitions vers la Méditerranée, où ils entrent en concurrence avec les Grecs et les Carthaginois. La guerre va durer plus d'un siècle.

Lire l'image

1 Où et quand se passe la scène ? Quelles sont les forces en présence ?

2 Décrivez la ville. Comment est-elle protégée ?

3 Décrivez les navires. Comment sont-ils équipés ?

Chapitre 4

De la terre à la mer

Les Romains ne sont pas des marins : pour affirmer leur puissance, ils doivent le devenir.

Lecture

Bataille navale

L'historien grec Polybe a raconté le conflit entre Rome et Carthage, que nous appelons guerres puniques.
Le 10 mars 241 avant J.-C., le consul Caius Lutatius Catulus prépare ses 200 navires à affronter la flotte carthaginoise, forte d'environ 250 bateaux, dans le petit archipel des iles Égades.

> Ταχέως ἐπὶ μίαν ἐκτείνας <u>ναῦν</u> ἀντίπρωρον κατέστησε τοῖς <u>πολεμίοις</u> τὸν στόλον.
> <u>Navibus</u> in unum ordinem longum cito directis, classem in frontem instruit contra <u>hostes</u>.
> Après avoir déployé rapidement les navires sur une seule ligne, il disposa la flotte <u>proue en avant</u> contre les ennemis.

La flotte carthaginoise est très vite mise en déroute : cinquante navires sont coulés, soixante-dix pris avec tous leurs hommes.

Nam Romani artem primum construendi naves didicerant, deinde **onera omnia**, quorum nullus ad pugnam futurus erat usus, deposuerant ; tum autem **remiges**
5 probe exercitati operam in eo proelio egregiam navaverant ; postremo selectos e copiis pedestribus **propugnatores**, cedere nescios, Romani habebant. Apud Poenos contraria his omnia : **naves onus-**
10 **tae**, **ad certamen inhabiles**, **remiges penitus rudes** et **pro tempore navibus impositi**, **miles classiarius tiro** et qui militiae labores duros ac terrores tum primum experiebatur. Nam Poeni, qui
15 Romanis numquam classem esse puta-bant, contemptim et negligenter navales copias curabant.

En effet, les Romains avaient appris la technique de base pour construire des navires, puis ils avaient enlevé ░░░░░░░░░░░░░ dont aucune ne serait utile pour le combat ; d'autre part ░░░░░░░ bien entrainés firent
5 avec zèle un travail remarquable dans ce combat ; enfin les Romains avaient ░░░░░░░░ sélectionnés dans leurs troupes d'infanterie, qui ignoraient la fuite. Chez les Carthaginois, c'était tout le contraire : ░░░░
░░░░░░░░░░░░░░░░░░ , ░░░░
10 ░░░░░░ , ░░░░░░░░ et ░░░░░░░░░░░░░░░░░░░░░░░ , ░░░░░░░░░░░░░░ et qui faisaient alors leur première expérience de la dureté et de la peur dans le métier de soldat. Car les Carthaginois, qui
15 croyaient que les Romains n'auraient jamais de flotte, s'occupaient de leurs forces navales avec négligence et en méprisant leur adversaire.

Polybe (env. 206-124 avant J.-C.), *Histoires*, livre I, 60-61, traduction en latin par Niccolò Perotti (1473).

ναῦς (ἡ) • **navis**, *is*, f. : le bateau

Issus de la racine indo-européenne *naw-*, les deux noms désignent tous les types de bâtiments voguant sur la mer. Les Romains ont emprunté la plupart du vocabulaire de la navigation aux Grecs, dont ils ont aussi appris l'art de naviguer lui-même. Ainsi, nauta, *ae*, m. (marin) vient directement de ναύτης.

Bataille navale, fresque de la maison des Vettii à Pompéi, Ier siècle après J.-C.

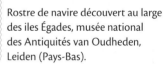

Rostre de navire découvert au large des iles Égades, musée national des Antiquités van Oudheden, Leiden (Pays-Bas).

Étymologie

a. À quel mot latin ou grec rattachez-vous les mots suivants ? Donnez leur sens.
navigateur • nautique • cosmonaute • naval • nef
b. Le nom navicula désigne un petit bateau. Quel nom français en est issu ?
c. Cherchez l'étymologie et le sens de ces noms.
internaute • naufrage • nausée • naumachie
Quel est leur point commun ?
d. Quel nom désigne une flotte en anglais ? Que constatez-vous ?

Comprendre le texte et l'image

1 Lisez à haute voix la première phrase en français, en grec et en latin.

2 Quelle position des navires indique l'adjectif grec surligné en jaune ? Quelle expression lui correspond en latin ?

3 Recopiez les noms surlignés en vert : par quel nom sont-ils traduits ? Quels mots français en sont issus ?

4 Retrouvez la traduction de chaque groupe de mots latins en gras et complétez la traduction.
des soldats qui débutaient comme troupes de marine • difficiles à manier pour le combat • placés sur des bateaux pour la circonstance • toutes les charges • des navires lourdement chargés • des rameurs totalement ignorants • des combattants • des rameurs

5 Relevez le nom latin traduit par *Carthaginois* (l. 9). Qui sont les belligérants dans les guerres dites « puniques » ? Expliquez ce nom.

6 Pourquoi les Romains ont-ils gagné ? Quels sont les défauts des Carthaginois ?

7 Observez les deux navires sur la fresque : quelle est leur position respective ?

8 D'après vous, lequel des deux mène l'attaque ? Où est placé le rostre ? À quoi sert-il ?

Les adjectifs de la 1re classe, négation et coordination

OBSERVER et REPÉRER

● La Sicile, une ile de légendes

1. Fabulae de Sicilia insula antiquae sunt et nautae Graeci Romanique eas narrabant.

Les légendes sur l'ile de Sicile sont anciennes et les marins grecs et romains les racontaient.

2. Olim inter Italiam Siciliamque insulam erant duo dira monstra.

Autrefois il y avait deux monstres affreux entre l'Italie et l'ile de Sicile.

3. Unum miseros nautas cum canibus suis lacerabat alterumque naves devorabat.

L'un déchirait les malheureux marins avec ses chiens et l'autre engloutissait les navires.

4. Ulixes, clarus nauta Graecus, insidiosum <u>fretum</u> transivit neque solus monstra timuit.

Ulysse, le célèbre marin grec, traversa le détroit rempli de pièges et seul il ne redouta pas les monstres.

5. Nunc monstra jam non sunt, sed nautae magna pericula in fabuloso <u>freto</u> semper timent.

Maintenant il n'y a plus de monstres, mais les marins craignent toujours de grands dangers dans le détroit qui inspira beaucoup de légendes.

Fresque pompéienne, Ier siècle après J.-C., musée archéologique de Naples.

À l'oral

Choisissez la légende qui convient.

a. Miseros nautas duo monstra devorant.

b. Ulixis navem Charybdis monstrum devorat.

c. Scylla monstrum nautas lacerat cum canibus suis.

Observez les adjectifs

❶ Phrases 1 et 3 Quels noms sont qualifiés par les adjectifs antiquae et miseros ? Identifiez le genre et le nombre ainsi que la fonction et le cas de chacun de ces noms.

❷ Phrases 4 et 5 À quel cas est le nom souligné ? Relevez les adjectifs qui le qualifient. Que remarquez-vous ?

❸ Phrase 4 a. Relevez en français et en latin le groupe de mots qui caractérise Ulysse. Quelle est la classe et la fonction des mots qui composent ce groupe ? À quel cas sont-ils ?

b. Dans la suite de la phrase, quel adjectif met Ulysse en valeur ? Donnez sa fonction et son cas.

Repérez la coordination

❹ Phrase 1 Quel élément relie les adjectifs Graeci et Romani ?

❺ Phrases 4 et 5

a. Comment les propositions sont-elles reliées ?

b. Identifiez les mots qui portent la négation.

Faites le bilan

❻ Comment l'adjectif s'accorde-t-il en latin ?

❼ Quels mots permettent de coordonner des éléments ou des phrases en latin ?

• En latin, dans le groupe de mots Siciliam insulam (l'ile de Sicile), les noms insulam et Siciliam désignent le même élément et se mettent au même cas.

• Les adjectifs de nationalité s'écrivent avec une majuscule, comme en anglais : nauta Graecus, *un marin grec, a Greek sailor*

Écoutez les textes du chapitre à cette adresse :
lienmini.fr/latin4-040

APPRENDRE

Accédez à un **schéma animé et commenté** à cette adresse : **lienmini.fr/latin4-043**

1 Les adjectifs qualificatifs

▶ Dans le dictionnaire, les adjectifs en -us, -a, -um ou adjectifs de la 1re classe sont présentés ainsi :

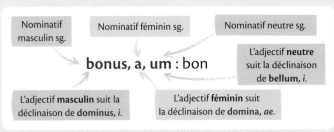

Nominatif masculin sg.

Nominatif féminin sg.

Nominatif neutre sg.

bonus, a, um : bon

L'adjectif **neutre** suit la déclinaison de **bellum**, *i.*

L'adjectif **masculin** suit la déclinaison de **dominus**, *i.*

L'adjectif **féminin** suit la déclinaison de **domina**, *ae.*

▶ Quand il qualifie directement le nom, l'adjectif est habituellement **placé devant** lui.

▶ Quand il est placé en **apposition**, l'adjectif met en relief une qualité du nom.

▶ Quand il qualifie le nom par l'intermédiaire d'un verbe d'état, l'adjectif est **attribut du sujet**.

▶ Certains adjectifs ont un nominatif en -er au masculin singulier, sur le modèle des noms ager ou puer.

▶ L'adjectif s'accorde en **genre**, en **nombre** et en **cas** avec le nom auquel il se rapporte.

N'oubliez pas qu'il y a des noms masculins dans la 1re déclinaison (parvus pirata, un petit pirate) et des féminins dans la 2e (parva ficus, un petit figuier) !

Parvum piratam videmus. Nous voyons un petit pirate.

Ulixes fretum transivit : solus monstra non timuit.
Ulysse a traversé le détroit : seul, il n'a pas craint les monstres.

Pirata est parvus. Le pirate est petit.

2 Négation et coordination

▶ En latin, le sens négatif est donné par **un seul mot** dans la phrase : un adverbe, un adjectif ou un pronom.

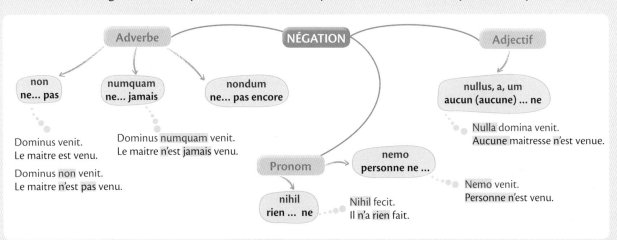

Adverbe

NÉGATION

Adjectif

non ne... pas

numquam ne... jamais

nondum ne... pas encore

nullus, a, um aucun (aucune) ... ne

Dominus venit. Le maitre est venu.

Dominus non venit. Le maitre n'est pas venu.

Dominus numquam venit. Le maitre n'est jamais venu.

Nulla domina venit. Aucune maitresse n'est venue.

Pronom

nemo personne ne ...

nihil rien ... ne

Nihil fecit. Il n'a rien fait.

Nemo venit. Personne n'est venu.

▶ Deux éléments de mêmes nature et fonction (propositions, mots) peuvent être reliés (coordonnés) par un mot invariable, appelé **conjonction de coordination** : at, atque, nam, enim (toujours après le 1er mot), itaque, sed.

▶ Les éléments sont souvent reliés par la particule **-que** (et) fixée sur le 2e élément.

▶ Si le 2e élément est de sens négatif, il est relié au 1er par **neque** (et ne... pas).

Nauta fretum transit
Le marin traverse le détroit

magnaque pericula timet.
et il craint de grands dangers.

neque pericula timet.
et il ne craint pas les dangers.

Vocabulaire

> antiquus, a, um : ancien

> clarus, a, um : célèbre

> dirus, a, um : affreux

> laetus, a, um : joyeux

> saevus, a, um : cruel

> solus, a, um : seul

→ Voir Mémento **p. 155**

Exercices

 EXERCICES **lienmini.fr/latin4-041**
Saisissez cette adresse dans votre navigateur pour accéder à des **exercices interactifs**.

Décliner noms et adjectifs

1 Déclinez ces groupes de mots à l'accusatif singulier, au génitif pluriel puis au datif pluriel.
antiqua fabula • clarus filius • dirum monstrum

2 Déclinez ces groupes de mots au génitif singulier, à l'accusatif pluriel puis à l'ablatif pluriel.
parvus nauta • pulcher vir • magnum templum

3 Que signifie ce proverbe ?

Mala malus mala mala dat.

(malus, *i*, f. : pommier ; malum, *i*, n. : pomme ; malus, a, um : mauvais)

4 a. Retrouvez la carte d'identité des adjectifs dans le lexique, associez chacun d'eux avec deux noms différents de votre choix et traduisez les groupes obtenus.

magnus	puella, *ae*, f.
miser	puer, *i*, m.
laetus	templum, *i*, n.
sacer	poeta, *ae*, m.
altus	murus, *i*, m.

b. Formez cinq phrases à l'aide de vos groupes en commençant par Video …. Attention au cas !

Employer la coordination et la négation

5 a. Voici les dangers que redoute un marin.
naufragium • nausea • incendium • pirata • monstrum
Choisissez-en trois et coordonnez-les de deux manières différentes pour compléter la phrase ci-dessous.
In navicula miser nauta … timet.
b. Traduisez les phrases obtenues.

6 Remettez les lettres dans l'ordre pour former cinq conjonctions de coordination et donnez leur sens.

queita	man	dse	mine	quate

7 Complétez ces phrases avec les conjonctions de coordination que vous avez trouvées (exercice **6**).

1. Nauta in somnis monstra vidit. … ad amicos venit … dixit :
2. « Vigilare debemus … litora relinquere. … vidi monstra. »
3. Dei signum dederunt. Ventus … est.

8 Complétez chaque phrase avec le terme négatif qui convient. Attention aux accords !
numquam • neque • nullus • nullum • nihil • non
1. Nautae fabulas de monstris … audiunt. Itaque … nauta mare timet.
2. Nautae piratas … amant. Nam pirata … nautae relinquit.
3. Nauta in mare navigat … magna pericula timet.
4. … monstrum nautas terret, sed nautae pulchras sirenas timent.

Lire, comprendre, traduire

9 Gradatim

Lisez ces phrases « pas à pas » et proposez une traduction pour la dernière phrase de chaque série (**c**).
1. a. Nautae arma capiunt.
  b. Nautae Graeci Romanique multa arma capiunt.
  c. Nautae Graeci Romanique multa arma in alto mari capiunt.
2. a. Nautae perire possunt.
  b. Multi nautae aquis perire possunt.
  c. Multi nautae frigidis aquis magnisque flammis perire possunt.
3. a. Nautae proelium conserunt. (consero, is, ere : engager)
  b. Nautae periti proelium saevum conserunt.
  c. Nautae periti cum piratis Graecis proelium saevum conserunt neque pericula timent.

10 Sententia

 Navis quae in flumine magna est in mari parvula est ; gubernaculum quod alteri navi magnum alteri exiguum est.

(Sénèque, *Lettres à Lucilius*, XLIII, 2)

Un navire qui est … sur un fleuve est … sur la mer ; un gouvernail qui est … pour un navire est … pour un autre.
a. Choisissez les adjectifs qui conviennent pour compléter la traduction et apprenez par cœur la citation en latin : immense • grand • long • minuscule • court • insuffisant • lourd.
b. Le philosophe Sénèque a choisi l'image du navire pour illustrer une certaine conception de la vie. Laquelle, à votre avis ?
○ Tout change. ○ Tout est possible. ○ Tout est relatif.

Reconnaitre une préposition, un préfixe

11 La préposition **ob + Acc.** signifie *devant, en face de, à cause de, en échange de*. Elle sert de préfixe (ob-/oc-/of-/op-/os-) dans la composition de nombreux mots latins.

→ **Ob** insulam ventus navem duxit, sed piratas obstant.
Le vent a conduit le bateau **devant** l'île, mais les pirates **s'opposent** (à lui).

a. Recopiez la carte d'identité complète de chaque verbe latin et cherchez un mot français qui en est issu, en respectant la classe grammaticale demandée.

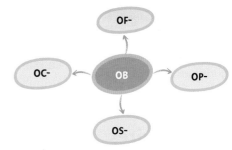

ostendere : tendre devant, montrer
→ .... (un adjectif)

obstare : se tenir devant
→ .... (un nom)

objicere : jeter devant
→ .... (un nom)

offere : porter devant, présenter
→ .... (un verbe)

obstruere : construire devant, barrer
→ .... (un nom)

opponere : placer devant
→ .... (un verbe)

occurrere : courir au-devant de, rencontrer
→ .... (un nom)

occupare : prendre d'avance
→ .... (un nom)

b. Comment dit-on *s'opposer, ne pas être d'accord* en anglais ?

12 Sens propre, sens figuré
Formé sur le nom portus, *us*, m. (port), l'adjectif opportunus, a, um a d'abord qualifié le navire « poussé devant le port (ob portum) » par un vent favorable ; il signifie « qui vient au bon moment », *convenable, utile, avantageux*.

a. Citez l'adjectif français qui en est directement issu. Donnez son sens.
b. Citez l'antonyme de cet adjectif.

L'arbre à mots

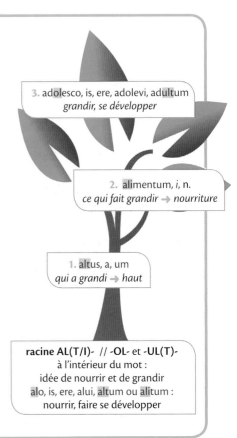

3. adolesco, is, ere, adolevi, adultum
grandir, se développer

2. alimentum, *i*, n.
ce qui fait grandir → *nourriture*

1. altus, a, um
qui a grandi → *haut*

racine AL(T/I)- // -OL- et -UL(T)-
à l'intérieur du mot :
idée de nourrir et de grandir
alo, is, ere, alui, altum ou alitum :
nourrir, faire se développer

13 Les mots suivants sont les fruits de l'arbre à mots : recopiez-les, encadrez leur radical et notez le numéro de leur branche.
adulte • altier • aliment • altitude • coalition • exaltation • abolition • altesse • adolescent

14 Complétez les phrases avec des mots de l'exercice **13**.
1. Construit avec le préfixe ex- (hors de), le nom ... désigne le fait de se sentir porté(e) vers le haut.
2. Selon l'étymologie, un ... est un individu qui est en train de grandir, tandis qu'un ... est un individu qui a fini de grandir.
3. Construit avec le préfixe ab- (loin de), le nom ... désigne le fait de supprimer, par opposition au fait de développer.
4. Un homme de caractère ... cherche à montrer sa supériorité.
5. Construit avec le préfixe co- (cum : avec), le nom ... désigne le fait de se réunir pour développer un intérêt commun.

15 Cherchez les adjectifs qui signifient *âgé, vieux* en anglais et en allemand. Encadrez leur radical et notez le numéro de leur branche.

16 « À Rome, je désigne le citoyen de la classe la plus pauvre, celui qui n'a qu'une seule ressource à offrir à l'État : les enfants qu'il élève (proles). Au XIXe siècle, je désigne l'ouvrier dont les revenus proviennent uniquement de son travail. **Qui suis-je ?** »
Le _ _ _ _ _ _ _ _ _ _ *(10 lettres)*

La Méditerranée, premier espace d'échanges internationaux

Les Romains ne se sont pas naturellement tournés vers la mer, ni géographiquement ni culturellement. Avant la première guerre punique (264 avant J.-C.), les Phéniciens et les Grecs dominaient les échanges en Méditerranée.

••••• Les navires

Selon qu'ils étaient utilisés pour le commerce ou pour les batailles, les bateaux se caractérisent par leur forme.

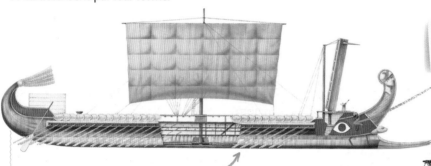

En guise de porte-bonheur, un œil est peint à la proue du navire.

Voile carrée

Coque longue et rangs de rameurs (de 1 à 5) pour aller le plus vite possible

① **Navire de combat.**
Appelé navis longa, ce bateau « long » et fin (40 m sur 6 m en moyenne), léger et rapide, permettait de poursuivre et d'attaquer un autre navire. Il fonctionnait à la voile et surtout à la rame. Il était muni d'un éperon en bronze pour l'abordage. Les Romains reprirent le modèle de la τριήρης grecque, dotée de 170 rameurs étagés sur trois rangs, qu'ils nommèrent triremis.

Les Romains mesuraient la capacité des bateaux marchands en amphores, de grandes jarres de terre cuite utilisées pour transporter les liquides (huile, vin) et les céréales. On pouvait en charger jusqu'à 9 000 sur les plus gros navires.

Deux grosses rames servant de gouvernail

Coque ronde pour contenir la marchandise

② **Navire marchand.**
Rond et large (env. 30 m de long et 9 m de large), ce bateau « lourd » et lent, que les Romains appelaient navis oneraria (de onus, eris, n., charge, poids), servait au transport des marchandises ; il accueillait parfois des voyageurs. Il fonctionnait exclusivement à la voile.

③ Reconstitution d'une coque de navire antique, vue en coupe, musée archéologique d'Antibes.

❶ **Comment nomme-t-on aujourd'hui un gros navire de marchandises ?** Un indice : le nom vient du verbe espagnol *cargar*, lui-même issu du latin carricare, charger.

❷ Qu'appelle-t-on une *trière* et une *trirème* ? D'où viennent ces noms ? Comment sont-ils formés ?

❸ **Quel nom, tiré du latin, désigne l'éperon d'un navire ?** (p. 47)

❹ **Nommez en latin le type du bateau en partie reconstitué (doc. ③). Que transportait-il ?**

··À l'abordage !

Avec l'essor de la navigation, dès la fin du IIe mil-lénaire avant J.-C., la Méditerranée devint aussi un espace d'affrontement. De très nombreux pirates, équipés de bateaux rapides, menaient des razzias, pillant les gros navires comme les terres côtières, réduisant les populations en esclavage. Certains conflits entre peuples se réglèrent par de grandes batailles navales, comme celle de Salamine entre Grecs et Perses en 480 avant J.-C.

MNE — Une **étude d'œuvre**, et une **fiche d'activités**.

PEAC

④ Cratère provenant de Cerveteri (Italie), env. 650 avant J.-C., musées du Capitole, Rome.

Lorsqu'ils durent se construire une flotte pour affronter les Carthaginois, descendants des Phéniciens, les Romains copièrent leurs trières. Ils leur ajoutèrent une invention qui se révéla une arme secrète d'une efficacité redoutable à la bataille de Mylae (260 avant J.-C.) : une sorte de pont-levis avec grappin, nommé corvus (corbeau), permettant aux troupes embarquées de monter sur les bateaux ennemis.

⑤ Severino Baraldi, reconstitution de la bataille de Mylae, aquarelle, collection privée.

⑤ Décrivez la scène sur le vase ; identifiez les types des bateaux (doc. ④).

⑥ Que voyez-vous sur la proue du navire de gauche ?

⑦ Combien de bateaux comptez-vous (doc. ⑤) ? À votre avis, à quelle flotte appartient chacun d'eux ?

⑧ Observez le bateau à droite : de quel dispositif particulier est-il équipé ? Décrivez-le.

APPRENTI ARCHÉOLOGUE

L'œil d'Horus, également nommé « l'œil Oudjat », est un très ancien symbole prophylactique venu d'Égypte. On le trouve sur les bateaux, sur la vaisselle, en amulettes.

→ **Qui était Horus ? Résumez son histoire en quelques phrases.**

→ **Cherchez l'origine et la signification des mots *oudjat* et *prophylactique*.**

→ **Cherchez d'autres symboles qui ont la même fonction que l'œil d'Horus.**

Amulette en faïence égyptienne, VIIe siècle avant J.-C., musée du Louvre, Paris.

Dossier

Le choc des « grandes puissances »

Dans son expansion vers le sud, Rome convoite des terres déjà colonisées par les Grecs et les Carthaginois. L'affrontement est inévitable.

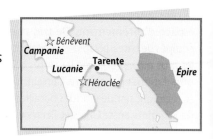

① Pyrrhus, un roi grec en Italie

Depuis le VIIIᵉ siècle avant J.-C., les cités grecques ont fondé de nombreuses colonies dans le sud de l'Italie et en Sicile, formant un ensemble géographique et culturel qu'on appelle « la Grande Grèce ». Au début du IIIᵉ siècle avant J.-C., plusieurs de ces colonies s'inquiètent de voir Rome s'étendre dans leur direction ; la ville de Tarente appelle **Pyrrhus Iᵉʳ** à l'aide. Ce roi ambitieux, qui prétend descendre d'Achille et d'Alexandre le Grand, règne alors sur l'Épire, au nord de la Grèce : il voit dans l'appel des Tarentins une occasion d'envahir la Grande Grèce et d'éliminer le rival romain.

② Une arme de guerre d'un nouveau genre

Lorsque Pyrrhus débarque à Tarente, en mai 280 avant J.-C., son armée compte 25 000 hommes et 20 éléphants. Il livre bataille à Héraclée.

Pyrrhus contre les Romains, tableau de l'école flamande (H. : 32 cm), XVIIᵉ siècle, musée Magnin, Dijon.

● Les Romains étaient sur le point de l'emporter, quand l'apparition des éléphants, qu'ils n'avaient encore jamais vus, les frappa soudain de stupeur, et les mit bientôt en fuite : les Grecs durent ainsi à un monstre d'un nouveau genre d'arracher par surprise la victoire à leurs vainqueurs. Mais elle leur couta cher : en effet, Pyrrhus lui-même fut blessé grièvement et il perdit une partie de son armée ; de fait, il eut plus à se glorifier qu'à se réjouir de son triomphe.

Justin (IIIᵉ siècle), *Histoire universelle*, ● livre XVIII, 6-7.

Vainqueur, Pyrrhus menace Rome, mais il a subi des pertes importantes. Plutarque rapporte son commentaire lucide :

Ἄν ἔτι μίαν μάχην Ῥωμαίους νικήσωμεν, ἀπολώλαμεν.
Si nous remportons encore une victoire sur les Romains, nous sommes perdus.
Plutarque (env. 46-125 après J.-C.),
Maximes des rois et des chefs de guerre célèbres, « Pyrrhus », 3.

Pyrrhus tente en vain de conquérir la Sicile, en partie tenue par les Carthaginois. Battu par les Romains à Bénévent en 275 avant J.-C., il renonce à sa campagne en Italie et regagne l'Épire. Après lui, le monde grec n'aura plus de chef de guerre capable de défier « l'ogre romain » : une nouvelle culture va désormais s'imposer en Méditerranée.

❶ Situez sur la carte le royaume de Pyrrhus ainsi que les batailles d'Héraclée et de Bénévent.

❷ Décrivez la scène de bataille sur le tableau.

❸ On a dit que les éléphants de guerre étaient les ancêtres des chars d'assaut : pourquoi ?

❹ Lisez à haute voix les paroles de Pyrrhus en grec. Que signifie l'expression « une victoire à la Pyrrhus » ?

○ une victoire rapide
○ un succès obtenu au prix de lourdes pertes
○ un triomphe écrasant

③ Carthage, un empire maritime

MNE

Une **vidéo** sur le port de Carthage.

Carthage, la « Ville nouvelle » (*Kart-Hadasht* en phénicien) est d'abord un simple comptoir phénicien, fondé par des Tyriens sur la côte africaine à la fin du IXᵉ siècle avant J.-C. Au fil du temps, les Carthaginois développent leur réseau commercial dans toute la Méditerranée occidentale : ils s'implantent aux îles Baléares, en Sardaigne, en Sicile ; alliés aux Étrusques, ils expulsent les Grecs de Corse ; ils annexent de nombreux territoires d'abord en Afrique du Nord puis dans la péninsule Ibérique. Ils bâtissent ainsi un véritable empire maritime qui finit par se heurter aux intérêts des Romains.

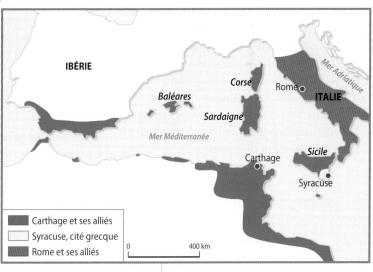

Reconstitution du port de Carthage.

La Sicile, une proie et un enjeu

« Vainqueur de l'Italie, le peuple romain s'était avancé jusqu'au détroit de Sicile : tel un incendie dont les flammes ravagent les forêts sur leur passage, puis sont coupées par un cours d'eau, il s'arrêta un moment. Mais bientôt il aperçoit tout près une proie très riche, comme arrachée de son Italie. Il brule alors du désir de la posséder : puisqu'il ne peut la réunir au continent ni par une digue ni par des ponts, il décide de le faire par la guerre. Cependant, tout autant que les Romains, les Carthaginois convoitaient la Sicile : au même moment, avec une ambition et des forces égales, ces deux peuples aspiraient à la domination du monde. Rome prit donc les armes sous prétexte de secourir ses alliés. Ce peuple rude, ce peuple de bergers qui n'avaient jamais quitté le continent, montra son courage et sa confiance inébranlables : peu importe à des braves de combattre à cheval ou sur des navires, sur terre ou sur mer ! Il franchit alors pour la première fois ce détroit qui devait sa sinistre réputation à des monstres fabuleux et à la violente agitation de ses eaux. »

● **Florus**, *Abrégé de l'histoire romaine*, II, 2.

Un ingénieux système de cales pouvait abriter 220 navires. L'îlot de l'Amirauté, au centre, était le siège du commandement de la flotte.

Légende de la carte :
- Carthage et ses alliés
- Syracuse, cité grecque
- Rome et ses alliés

0   400 km

La Méditerranée occidentale en 264 avant J.-C.

---

5 Selon Florus, à quoi aspirent les Romains et les Carthaginois ?

6 Quelle construction dans la ville de Carthage montre sa puissance et ses ambitions ?

7 Observez la situation de la Sicile sur la carte et expliquez pourquoi elle est un enjeu entre les deux peuples.

8 Comment s'appelle le détroit entre l'Italie et la Sicile ? Quelle est sa particularité ? Nommez les monstres évoqués par Florus (p. 48).

Carthage contre Rome

Vingt-trois ans après la première guerre punique, un jeune général carthaginois se lance à l'assaut de Rome.

Lecture

Des éléphants sur le Rhône

● *Partis d'Espagne, Hannibal et son armée marchent vers l'Italie. À la fin du mois d'aout 218 avant J.-C., ils doivent franchir le Rhône, au milieu de tribus gauloises hostiles. Mais comment faire traverser ce fleuve impétueux à trente-sept éléphants ?*

Attention ! Les étapes de l'opération (//) ont été mélangées dans la traduction.

Ratem unam ducentos longam pedes, quinquaginta latam a terra in amnem porrexerunt. // Quam, ne secunda aqua deferretur, **pluribus**
5 **validis retinaculis parte superiore ripae religatam** pontis in modum humo injecta constraverunt // ut beluae audacter **velut per solum** ingrederentur. // **Altera ratis aeque lata**,
10 longa pedes centum, ad trajiciendum flumen apta, huic copulata est. // Tres tum elephanti **per stabilem ratem tamquam viam** praegredientibus feminis acti ubi in minorem adplicatam
15 transgressi sunt, // extemplo resolutis quibus leviter adnexa erat vinculis, ab actuariis aliquot navibus **ad alteram ripam** pertrahitur. // **Ita primis expositis**, alii deinde repetiti ac trajecti
20 sunt. // **Nihil sane trepidabant** donec continenti velut ponte agerentur ; // **primus erat pavor** cum soluta ab ceteris rate in altum raperentur.

Titus Livius, *Ab Urbe condita libri*, liber unus et vicesimus.

• **Ainsi, une fois les premiers [éléphants] débarqués**, les autres furent ensuite transportés successivement.
• de telle sorte que les énormes bêtes y montent hardiment **comme si elles étaient sur le sol**.
• Alors dès que trois éléphants, leurs femelles marchant devant eux, étaient passés **par le radeau qui était stable comme une route** pour monter sur le plus petit qui lui était attaché,
• **Ils ne s'affolaient absolument de rien** tant qu'ils se trouvaient sur ce qui ressemblait à un pont ferme et stable ;
• Ils étalèrent depuis la terre sur le fleuve **un seul radeau long de deux cents pieds**, large de cinquante.
• **Un autre radeau de même largeur**, long de cent pieds, apte à traverser le fleuve, fut relié au premier.
• [mais] **c'était le début de la peur** dès qu'ils étaient entrainés en plein fleuve, une fois le radeau détaché des autres.
• Pour qu'il ne soit pas emporté par le courant, après l'avoir **attaché à la partie supérieure de la rive par plusieurs cordes solides**, ils le couvrirent de terre pour en faire une espèce de pont
• aussitôt on coupait les liens qui le retenaient faiblement et on le faisait tirer **jusqu'à l'autre rive** par quelques vaisseaux faciles à manier.

Tite-Live (59 avant J.-C.-17 après J.-C.), *Histoire romaine*, livre XXI, 28.

---

trepido, as, are, avi, atum : s'agiter, s'affoler, trembler

Ce verbe est formé sur la racine indo-européenne *trep- indiquant un mouvement heurté et saccadé, tel un piétinement. L'adjectif trepidus, a, um (qui s'agite, tremblant, inquiet) et le nom trepidatio, *onis*, f. (agitation, désordre, trouble) font partie de la même famille.

L'armée d'Hannibal traversant le Rhône, gravure d'après une peinture de Henri-Paul Motte, 1878, collection privée.

Étymologie

a. Quel adjectif français formé sur *trepidus* signifie *qui ne tremble pas, brave* ?

b. Quel est le point commun entre les mots suivants ? Employez-les dans la phrase qui convient.

trépidations, trépigner, trépider, trépidomètre, trépidant

1. On sent le sol ... au passage des camions.

2. Le ... est un appareil qui enregistre les ... et mesure leur amplitude.

3. Nous menons un rythme de vie ... .

4. Les spectateurs se sont mis à ... d'impatience.

Comprendre le texte et l'image

1 Lisez le texte en latin et recopiez les groupes de mots mis en gras chacun sur une ligne.

2 Remettez la traduction française dans l'ordre en reliant au texte latin les groupes de mots également mis en gras.

3 En quoi consiste la méthode adoptée par Hannibal ? Quelle qualité militaire montre-t-il dans cette opération ?

4 De quelle langue est issu le nom elephantus ? Quel autre nom Tite-Live emploie-t-il pour désigner cette « bête énorme » ?

5 Sachant qu'un pied romain (pes, *pedis*, m.) vaut 29,6 cm, calculez les dimensions des radeaux en mètres.

6 Décrivez la gravure. Quels éléments précis du récit de Tite-Live met-elle en scène ? Quels détails sont ajoutés ?

OBSERVER et REPÉRER

● Le serment d'Hannibal

1. Hannibal, Hamilcaris clari imperatoris Punici filius, ingens odium patris erga <u>cives Romanos</u> conservabat.

Hannibal, fils du célèbre général en chef punique Hamilcar, conservait la haine immense de son père envers les citoyens romains.

2. Fortis intrepidusque puer cum patre imperatore in Hispaniam venire voluit.

Le courageux et intrépide enfant voulut aller en Espagne avec son père le général en chef.

3. Pater filium jurare jussit : « Numquam in amicitia cum <u>civibus Romanis</u> ero ! »

Le père ordonna à son fils de prêter serment : « Jamais je ne serai en amitié avec les citoyens romains ! »

4. Filius patri <u>fidem suam</u> dedit.

Le fils donna sa parole à son père.

5. Hannibal etiam <u>adulescens</u> Pyrenaeos <u>montes</u> Rhodanumque <u>flumen</u> transiit nec Alpium <u>montium</u> ingentia pericula timuit.

Hannibal encore jeune homme traversa les montagnes des Pyrénées et le fleuve Rhône et il ne redouta pas les immenses dangers des montagnes des Alpes.

Le jeune Hannibal avec son père Hamilcar, illustration de Peter Jackson.

— À l'oral —

Quelle phrase correspond au serment d'Hannibal ?

a. Numquam cum Romanis pugnabo.

b. Numquam Romani amici mei erunt.

c. Nullum periculum timebo.

Identifiez la 3ᵉ déclinaison

Pour répondre, vous pouvez vous aider du Mémento **p. 154**.

❶ **Phrases 1, 2, 3 et 4** Relevez les formes du nom traduit par *père*. Donnez la fonction et le cas pour chaque forme. Quelles terminaisons observez-vous ?

❷ **Phrases 1 et 2**
Mêmes consignes pour le nom traduit par *général en chef*.

❸ Retrouvez dans le lexique la carte d'identité des noms surlignés en jaune et identifiez leur déclinaison. Quel indice vous a permis de répondre ?

Identifiez les adjectifs de la 2ᵉ classe

❹ **Phrase 2**

a. Recopiez le groupe sujet, encadrez le nom et soulignez les deux adjectifs.

b. Comparez les terminaisons des adjectifs : que constatez-vous ?

❺ **Phrases 1 et 5**
Relevez les formes de l'adjectif traduit par *immense*. À quel nom chaque forme se rapporte-t-elle ? Cherchez le genre de ces noms dans le lexique. Identifiez le cas.

Faites le bilan

❻ Recopiez et complétez le tableau : placez chacun des mots ou groupes de mots soulignés dans la case qui convient, précisez le genre et le nombre.

Nominatif	Accusatif	Génitif	Ablatif

Écoutez les textes du chapitre à cette adresse :
lienmini.fr/latin4-050

APPRENDRE

1 Les noms de la 3ᵉ déclinaison

Catégorie n° 1

Elle regroupe les noms (masculins, féminins, neutres) dont le génitif singulier a **une syllabe de plus** que le nominatif singulier.

> Les noms de la 3ᵉ déclinaison ont tous un génitif singulier en **-is** (**p. 25**).

Cas	rex, *regis*, m. : le roi		corpus, *corporis*, n. : le corps	
	Singulier	Pluriel	Singulier	Pluriel
Nominatif	rex (< *gs)	reg**es**	corpus	corpor**a**
Vocatif	rex	reg**es**	corpus	corpor**a**
Accusatif	reg**em**	reg**es**	corpus	corpor**a**
Génitif	reg**is**	reg**um**	corpor**is**	corpor**um**
Datif	reg**i**	reg**ibus**	copor**i**	copor**ibus**
Ablatif	reg**e** *	reg**ibus**	corpor**e** *	corpor**ibus**

> Tous les **génitifs pluriels** se terminent par **-um**.

> * Tous les **ablatifs singuliers** se terminent par **-e**.

Catégorie n° 2

a. Les noms (masculins, féminins, neutres) dont le nominatif et le génitif singuliers sont **semblables** (même nombre de syllabes).

b. Les noms (masculins, féminins) dont **le radical se termine par deux consonnes** (→ urbs, *urbis*, f.).

Cas	civis, *civis*, m. : le citoyen		urbs, *urbis*, f. : la ville		mare, *maris*, n. : la mer	
	Singulier	Pluriel	Singulier	Pluriel	Singulier	Pluriel
Nominatif	civis	civ**es**	urbs	urb**es**	mare	mar**ia**
Vocatif	civis	civ**es**	urbs	urb**es**	mare	mar**ia**
Accusatif	civ**em**	civ**es**	urb**em**	urb**es**	mare	mar**ia**
Génitif	civ**is**	civ**ium**	urb**is**	urb**ium**	mar**is**	mar**ium**
Datif	civ**i**	civ**ibus**	urb**i**	urb**ibus**	mar**i**	mar**ibus**
Ablatif	civ**e** *	civ**ibus**	urb**e** *	urb**ibus**	mar**i** *	mar**ibus**

> Tous les **génitifs pluriels** se terminent par **-ium**.

> * Pour les noms masculins et féminins, l'**ablatif singulier** se termine par **-e** ; pour les noms neutres, il se termine par **-i**.

2 Les adjectifs de la 2ᵉ classe

▶ De nombreux adjectifs suivent les modèles de la **3ᵉ déclinaison** : on les regroupe sous l'appellation de « **2ᵉ classe** ».

Catégorie n° 1

Les adjectifs dont le génitif singulier a **une syllabe de plus** que le nominatif singulier se déclinent comme rex.

vetus, veteris : vieux

N. **m., f., n.**   génitif

Catégorie n° 2

a. Les adjectifs dont le nominatif et le génitif singulier sont **semblables** se déclinent comme civis, mais leur **ablatif singulier** se termine par **-i**.

b. Les adjectifs dont le **radical se termine par deux consonnes** se déclinent comme urbs. Leur **ablatif singulier** se termine par **-e** quand l'adjectif est accordé avec un nom d'être animé, par **-i** avec un nom d'inanimé.

fortis, e : fort, courageux

m., f.   **n.** (forte)

ingens, ingentis : immense

m., f., n.   G

Cum **prudente** cive venit.
Il est venu avec un citoyen **prudent**.

Prudenti consilio cives persuadet.
Il convainc les citoyens par un **prudent** conseil.

Vocabulaire

- agmen, *inis*, n. : la troupe en marche, l'armée
- civis, *is*, m. : le citoyen
- labor, *oris*, m. : le travail
- pater, *tris*, m. : le père
- fortis, e : fort, courageux
- gravis, e : lourd, pénible
- potens, tis : puissant
- vetus, eris : vieux

↪ Voir Mémento **p. 156**

Exercices

EXERCICES lienmini.fr/latin4-051

Saisissez cette adresse dans votre navigateur pour accéder à des **exercices interactifs**.

Identifier les déclinaisons

1 Dans cette liste, repérez les noms de la 3ᵉ déclinaison en vous aidant du lexique.

longitudinis • oculis • militis • servis • viris • virtutis • corporis • nautis

2 Repérez les noms au génitif pluriel dans la liste et indiquez leur déclinaison.

puerum • ararum • agrum • regum • lucum • ventum • hominum

3 À quelle déclinaison appartient chaque nom donné au nominatif ?

virtus • dominus • pecus • servus • genus • vulnus

Décliner

4 Déclinez ces groupes à l'accusatif singulier, puis au datif pluriel et à l'ablatif pluriel.

saevus hostis • fortis dux • incertum tempus • pulchra virgo

5 Déclinez ces groupes au génitif singulier et pluriel.

justa lex • magna potestas • longum iter • magna urbs

6 Associez chaque nom à l'adjectif qui convient.

oculis • civis • militis • virtutis • servis

sapientis • magnae • bonis • audacis • prudentibus

7 Aenigma

In Lucania cum Pyrrho, rege Graeco, venimus (p. 54). Tum primum Romani nos viderunt nomenque nobis dederunt :

❍ boves Lucani ❍ leones Punici ❍ ursi Graeci.

Nomen vero Graecum nobis est :

❍ hippopotami ❍ pantherae ❍ elephanti.

Lire, comprendre, traduire

8 Complétez ces phrases à l'aide des mots suivants.

sapientium • vulnera • duci • omnes

1. Milites ... acceperunt.

2. Bona fama ... fuit.

3. ... ducem timent.

4. ... consilia audivimus.

9 a. Lisez le texte en français, puis complétez le texte latin à l'aide des mots suivants.

crudelitas • certamine • laborum • animus • corpus • omnia • ingentia • virtutes

Hannibal eut un grand courage au combat ; son corps était préparé à tous les genres de travaux pénibles. Mais d'immenses défauts égalaient de grands mérites : une cruauté inhumaine et une mauvaise foi propre aux Carthaginois.

In ... Hannibali magnus ... fuit ; ... ad ... genera ... paratum erat. Sed ... vitia magnas ... aequabant : inhumana ... perfidiaque Punica.

b. Parmi les mots de la liste, lequel ne fait pas partie de la 3ᵉ déclinaison ?

10 Gradatim

Lisez ces phrases « pas à pas » et proposez une traduction pour la dernière phrase de chaque série (**c.**).

1. a. Bellum pacemque porto.

  b. In mea toga bellum pacemque porto.

  c. In mea toga inexorabile bellum pacemque justam porto : utrum (= laquelle des deux) eligitis ?

2. a. Hannibal, vincere scis.

  b. Hannibal, vincere scis sed victoria uti nescis. (*uti* : profiter de + **Abl.**)

  c. « Hannibal, dux clare fortisque, cum magna virtute vincere scis, sed victoriae tuae beneficio uti nescis ! »

3. a. Hannibal militibus quietem dedit.

  b. Hannibal fessis militibus quietem nullam dedit. (*fessus, a, um* : fatigué)

  c. Hannibal nec fessis militibus nec prudentibus ducibus quietem dedit.

11 Sententia

Σπεῦδε βραδέως ! Ἀσφαλὴς γάρ ἐστ᾽ἀμείνων ἢ θρασὺς στρατηλάτης.

(Suétone, *Vie d'Auguste*, XXV, 5)

a. Lisez ces mots que l'empereur Auguste a prononcés en grec.

b. Lisez-les traduits en latin : Festina lente ! cautus enim est melior quam audax dux.

c. Retrouvez leur sens en français en rassemblant les pièces du puzzle.

lentement !　meilleur

un chef prudent

qu'un chef audacieux

Hâte-toi

En effet　est

Reconnaitre une préposition, un préfixe

12 La préposition trans + Acc. signifie « au-delà de » ; elle sert de préfixe (trans, tra-) dans la composition de nombreux mots latins.

→ **Trans** Rhodanum Hannibal elephantos **trajicit**.
Hannibal fait passer les éléphants **au-delà** du Rhône.

a. Établissez la carte d'identité du verbe trajicit et citez deux noms français qui en sont issus.

b. Recopiez le tableau suivant et complétez-le.

Carte d'identité	transeo ...	transfero ...	transigo ...	transmitto ...	traduco ...
Verbes français					
Noms français					

c. Trouvez l'adjectif français formé avec le préfixe trans- qui correspond à chaque définition.

> qui laisse passer la lumière mais ne permet pas de distinguer nettement les contours.

> qui laisse voir les objets ou le sens des mots avec netteté.

13 Sens propre, sens figuré

Formé sur le verbe rapio, is, ere, rapui, raptum, qui signifie « emporter avec violence et précipitation », l'adjectif rapidus, a, um s'applique au fleuve qui arrache tout sur son passage comme à la bête féroce qui se jette sur sa proie.

a. Quel adjectif français est directement issu de l'adjectif latin ? Quel est son sens ? Que constatez-vous ?

b. Comment appelle-t-on la partie d'un cours d'eau où le courant est très puissant ?

c. Que signifient le nom et l'adjectif *rapace* ? Quel verbe latin retrouvez-vous ?

14 Et en **grec** ?

À la fois préposition et préfixe, μετά a les mêmes sens et emplois que trans-.

a. Trouvez les deux noms, l'un issu du grec et l'autre du latin, qui signifient « changement de forme ».
méta ...   trans ...

b. Comment appelle-t-on la figure de style qui consiste à rapprocher des éléments sans utiliser de mot comparatif (par exemple « Ses yeux sont deux émeraudes. ») ?

— L'arbre à mots —

15 Les mots suivants sont les fruits de l'arbre à mots : encadrez leur radical et notez le numéro de leur branche.
infidèle • confédération • défier • confiance • confidentiel • fédéral • fiable • fédérateur • perfide

16 Complétez l'expression par le nom qui convient puis expliquez-la.
« C'est un homme digne de   ○ fois   ○ foie   ○ foi. »

17 Complétez les phrases avec des mots de l'exercice **15**.
1. Les Romains traitaient le peuple carthaginois de ... parce qu'ils considéraient qu'on ne pouvait pas lui faire ... .
2. Un projet ... rassemble beaucoup de personnes. Un projet ... est limité à quelques personnes seulement.
3. La Suisse a un gouvernement ..., d'où le nom de ... helvétique.
4. Une personne qui trahit sa parole en amour est ... .
5. S'il ne ment pas, un témoin peut être ... .

18 Qu'ont en commun les noms *faith* (anglais), *fede* (italien), *fe* (espagnol), *fé* (portugais) ?

19 « Nous nous sommes liés par une promesse de confiance avant de nous marier. **Qui sommes-nous ?** »
Les _ _ _ _ _ _ _ (7 lettres)

> 2. foedus, *eris*, n.
> *traité, alliance*

> 1. fides, *ei*, f.
> *loyauté, foi*

> racine **FI(D)- / FOED-**
> idée de « confiance »
> **fi**do, is, ere, **fi**sus sum : se fier, croire

Barca, « l'Éclair » : tel père, tel fils

Carthage est une république oligarchique, comme Rome : elle est gouvernée par un Sénat issu de l'aristocratie. Né en 247 avant J.-C., Hannibal appartient à l'une des plus puissantes familles de la cité : son père Hamilcar Barca a commandé l'armée carthaginoise en Sicile ; il a dû signer la paix avec les Romains après la défaite de la flotte aux iles Égades (p. 46). Alors qu'il relançait une expédition en Espagne, il est mort au combat en 228 avant J.-C. Élevé par son père dans la haine de Rome, Hannibal poursuit son ambition de porter la guerre jusque sur les terres de son ennemi juré (p. 58).

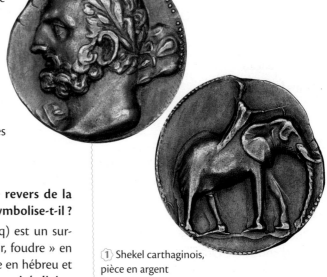

① Shekel carthaginois, pièce en argent frappée à Carthagène, 237-227 avant J.-C., British Museum, Londres.

❶ L'avers de la pièce représente le dieu Melqart avec les traits d'Hamilcar (« Frère de Melquart » en langue punique). Ce dieu était assimilé à Héraclès / Hercule. **Quel élément rappelle le glorieux héros grec ?**

❷ **Que représente le revers de la pièce (doc. ①) ? Que symbolise-t-il ?**

❸ Barca (Brq ou Baraq) est un surnom qui signifie « éclair, foudre » en punique (on le retrouve en hébreu et en arabe). **À quelle autorité divine fait-il référence ? Que symbolise-t-il pour celui qui le porte ?**

Un exploit légendaire

Parti de la « Nouvelle Carthage » à la fin du printemps 218, avec 102 000 hommes et 37 éléphants, Hannibal franchit les Alpes en novembre : l'un des exploits les plus célèbres de l'histoire. Cependant, l'hiver est rude pour les Africains : Hannibal perd beaucoup d'hommes et tous ses éléphants, sauf un. À la suite d'une grave maladie, il devient lui-même aveugle de l'œil droit.

> Les éléphants et les cavaliers marchaient en tête de l'armée ; Hannibal lui-même, à l'arrière avec l'infanterie, avançait dans la neige en regardant sans cesse autour de lui, attentif à tout. Sur les chemins étroits et escarpés, bordés de précipices, les éléphants retardaient beaucoup la marche, mais ils protégeaient la colonne des tribus gauloises ennemies car elles n'osaient pas s'approcher de ces animaux qu'elles n'avaient jamais vus. La fatigue et le désespoir se lisaient sur tous les visages. Hannibal se plaça sur un promontoire, d'où la vue s'étendait au loin, et il montra l'Italie à ses soldats pour les encourager.
>
> **Tite-Live**, *Histoire romaine*, livre XXI, 34-35.

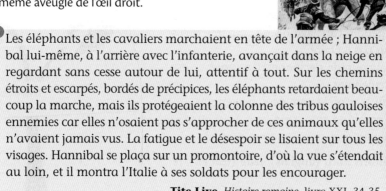

WHEN THEY WERE YOUNG
THE GREAT GENERAL HANNIBAL

② « Le grand général Hannibal », illustration de Peter Jackson.

❹ **Dans quel pays se trouvait la « Nouvelle Carthage » ? (doc. ③)**

❺ **Comparez l'illustration et le texte (doc. ②). Que mettent-ils en valeur ?**

••De la victoire à l'exil

Une fois en Italie, Hannibal écrase en quelques mois les légions romaines, faisant preuve d'un génie militaire exceptionnel. À Rome, la nouvelle suscite l'effroi : Hannibal ad portas ! (« Hannibal est à nos portes ! », Tite-Live, XXIII, 16). Pourtant, le chef carthaginois n'exploite pas ses victoires : il reste plusieurs années dans le sud de l'Italie sans chercher à entrer dans Rome. Quand il revient enfin en Afrique, rappelé par le Sénat de Carthage, il est battu à Zama (202 avant J.-C.) par Scipion qui reçoit le surnom d'Africain.

③ L'expédition d'Hannibal.

Plein d'audace pour affronter le danger, Hannibal était plein de prudence au milieu du danger même. Aucune fatigue n'épuisait son corps, ne brisait son âme. Même endurance au froid et au chaud. Nourriture et boisson selon le besoin, non par plaisir. Pour veiller ou pour dormir, aucune différence entre le jour et la nuit. Du repos seulement quand les affaires étaient réglées. Beaucoup l'ont vu souvent s'étendre sur le sol, couvert d'une simple casaque de soldat, au milieu des sentinelles de garde. Rien dans sa tenue ne le distinguait des autres : ce qu'on remarquait, c'étaient ses armes et ses chevaux. Il était de loin le meilleur cavalier et le meilleur fantassin. Le premier, il s'élançait au combat, le dernier, il en sortait. Mais d'immenses vices égalaient de si brillantes qualités : cruauté inhumaine, perfidie plus que punique, rien de vrai, rien de sacré pour lui, aucune crainte des dieux, aucun respect des serments, aucun sens religieux.

Tite-Live, *Histoire romaine*, livre XXI, 4.

Obligé de signer le traité de paix avec Rome en 201 avant J.-C., Hannibal se heurte aux intérêts de la noblesse qui l'accuse d'avoir trahi son pays. Il choisit alors de s'exiler auprès du roi Prusias de Bithynie en Asie Mineure (en Turquie aujourd'hui). Celui-ci finit par le livrer aux Romains : pour échapper à ses ennemis, Hannibal préfère se donner la mort en avalant du poison qu'il gardait dans une bague (183 avant J.-C.).

④ Cuirasse en bronze doré, découverte à Ksour Essef (Tunisie), IIIe-IIe siècles avant J.-C., musée du Bardo, Tunis.

Une **vidéo** sur Hannibal.

❻ Retrouvez sur la carte (doc. ③) le nom des cinq grandes batailles livrées par Hannibal et donnez leurs dates. Laquelle a-t-il perdue ?

❼ Comment « le Romain » Tite-Live juge-t-il « le Carthaginois » Hannibal ? Quels sentiments laisse-t-il transparaitre ?

❽ La cuirasse est une pièce d'armement de type grec, comme devait en porter Hannibal. **Une déesse y est représentée : laquelle ? (doc. ④) Décrivez-la.**

Pour aller plus loin

L'art de la guerre

> À la fin du VIe siècle avant J.-C., un général chinois a écrit un traité de stratégie, toujours étudié aujourd'hui, dont l'un des principes est : « Toute guerre est fondée sur le faire semblant » (Sun Tzu, *L'Art de la guerre*, article 1).

Faites une recherche sur la bataille de Cannes. Hannibal a-t-il suivi le principe de Sun Tzu ? Expliquez sa stratégie.

Conquêtes et destructions

146 avant J.-C. : Rome rase Carthage et saccage Corinthe. L'Afrique et la Grèce sont désormais des provinces soumises à leur vainqueur.

Lecture

Carthago deleta est !

Après la défaite d'Hannibal, Rome a imposé la paix à Carthage. Mais la guerre reprend car les Romains craignent toujours leur grande rivale. En 149 avant J.-C., ils débarquent pour attaquer la ville. Le siège dure trois ans. Contraints de livrer leur flotte, aussitôt incendiée, et d'abandonner leur ville, les Carthaginois répondent avec la fureur du désespoir.

In usum novae classis **tecta domorum resciderunt** ; in armorum officinis **aurum et argentum pro aere ferroque** conflatum est ; in tormentorum vincula
5 **matronae crines suos contulerunt. Terra marique** fervebat obsidio. Operis portus nudatus, **et primus et sequens, jam et tertius murus,** cum tamen Byrsa, quod nomen arci fuit, **quasi altera civitas**
10 resistebat. […]

Pour avoir une nouvelle flotte ; dans les ateliers d'armes, on fondit ; pour faire les cordes des lance-pierres
5 . le siège faisait rage. Le port est dépouillé de ses défenses, , pourtant Byrsa, qui était le nom de la citadelle,
10 . […]

Enfin, quand il n'y eut plus d'espoir, quarante mille hommes se rendirent, avec le général Asdrubal à leur tête. Une femme, l'épouse même du général, eut bien plus de courage ! Elle prit ses deux enfants dans ses bras et se jeta du haut de sa maison au milieu de l'incendie, à l'exemple de la reine qui fonda Carthage.

Quanta urbs deleta sit, ut de ceteris taceam, vel <u>ignium</u> mora probari potest ; quippe **per continuos decem et septem dies** vix potuit incendium exstingui, **quod**
15 **domibus ac templis suis sponte hostes immiserant.**

15 Quelle fut l'ampleur de la destruction de la ville, pour passer le reste sous silence, la durée même du feu peut en témoigner ; de fait, ce n'est qu' qu'on put éteindre l'incendie,
20 .

Publius Annius Florus,
Epitome, liber secundus.

Florus (env. 70-140 après J.-C.),
Abrégé de l'Histoire romaine, livre II, 15.

ignis, *is*, m. : le feu

Employé au singulier ou au pluriel, le nom désigne l'élément *feu*, opposé à l'élément *eau* (aqua ou aquae).
L'adjectif ignifer, era, erum, signifie « qui porte (fert) le feu ».

Jacques Martin, Vincent Henin, *Les Voyages d'Alix*, « Carthage »,
© Casterman.

Étymologie

a. Quel adjectif français signifie littéralement « qui fuit le feu » ? De quel adjectif
latin est-il l'antonyme ? Comment est-il
formé ? Employez-le dans une phrase de
votre choix.

b. Complétez la phrase suivante avec l'adjectif qui convient.
On dit qu'une substance est ○ *ignare* ○ *ignoble* ○ *ignée*
quand elle a les caractéristiques du feu.
c. Cherchez le nom qui signifie *allumage* (pour un moteur
de voiture, de fusée, etc.) en anglais. Que constatez-vous ?

Comprendre le texte et l'image

1 Lisez à haute voix le texte en latin.

2 Complétez la traduction (mots latins en gras) avec les
groupes de mots qui conviennent.
sur terre et sur mer • de même que le premier mur, le suivant
et encore le troisième • au bout de dix-sept jours entiers •
ils découpèrent les toits de leurs maisons • résistait comme
si elle était une autre cité • les femmes donnèrent leurs cheveux • que les ennemis avaient allumé volontairement dans
leurs propres maisons et temples • l'or et l'argent à la place
du bronze et du fer

3 Quel est le comportement des Carthaginois ? Quels
sentiments suscite-t-il chez Florus ?

4 Quels personnages Florus nomme-t-il ?
Pourquoi ?

5 Relevez le sujet du dernier verbe du texte.
Qui désigne-t-il ?

6 Donnez un titre latin à l'illustration en
choisissant des mots du texte.

7 Décrivez la scène illustrée. Comment la
ville apparait-elle ? Quelle partie voit-on en
arrière-plan ? Nommez-la.

8 Qui fonda Carthage ? Résumez son histoire
en quelques phrases.

Les pronoms personnels ; *is, ea, id*

OBSERVER et REPÉRER

● La tristesse du vainqueur

1. Romani Carthaginem deleverunt ;
Scipio Aemilianus dux <u>eorum</u> erat.
Les Romains détruisirent Carthage ; Scipion Émilien était <u>leur</u> chef.

2. Is dux, Scipionis Africani nepos, clarus erat.
Ce chef, petit-fils de Scipion l'Africain, était illustre.

3. Cum Polybio amico urbem ardentem spectabat ; tum <u>ei</u> dixit :
Avec son ami Polybe, il regardait la ville en flammes ; alors il lui dit :

4. « Victoria <u>nobis</u> gloria non est.
« La victoire n'est pas une gloire pour nous.

5. Ego, urbem Trojam memini.
Moi, je me souviens de la ville de Troie.

6. Graeci eam deleverunt omnesque homines <u>ejus</u> trucidaverunt.
Les Grecs l'ont détruite et ont massacré tous <u>ses</u> hommes.

7. Nos autem atrocitatem similem fecimus.
Quant à nous, nous avons commis la même atrocité.

8. Polybi amice, maerorem meum <u>tibi</u> exponere volo. »
Polybe, mon ami, je veux te laisser voir mon chagrin. »

La prise de Troie, scène sur une jarre en terre cuite, env. 670 avant J.-C., Mykonos, musée archéologique de Chora (Grèce).

— À l'oral —

Choisissez la légende qui convient.
a Romani urbem Carthaginem delent.
b Miles Romanus matronam Punicam trucidat.
c Miles Graecus puerum Trojanum trucidare vult (il veut).

Repérez les pronoms personnels

❶ **Phrases 5 et 7** Repérez les sujets. Qui représentent-ils ? Quelle est leur classe grammaticale ?

❷ **Phrase 6**
a. Relevez le COD du premier verbe en français. Qui représente-t-il ? Quelle est sa classe grammaticale ? À quel mot latin correspond-il ?
b. Que pouvez-vous déduire de la terminaison du mot latin ?

❸ **Phrases 3, 4 et 8**
a. Retrouvez la traduction des mots soulignés. Donnez la classe et la fonction du mot correspondant en français.
b. Qu'en déduisez-vous pour les mots latins ?

❹ **Phrase 1**
a. De qui Scipion Émilien était-il le chef ? Observez la terminaison du mot latin souligné : à quel cas est-il ?
b. Qu'en déduisez-vous sur sa fonction ? Quel nom remplace-t-il ?

❺ **Phrase 6** À quel possesseur l'adjectif possessif souligné en français renvoie-t-il ? Quel mot latin traduit-il ? Comparez avec les mots soulignés dans la phrase **1**.

Faites le bilan

❻ Recopiez le tableau et complétez-le avec les exemples demandés.

	Attribut du sujet	COD	COS
Exemple 1	... (phrase n°...)	... (phrase n°...)	... (phrase n°...)
Exemple 2	... (phrase n°...)	... (phrase n°...)	

❼ Relevez trois exemples de pronom personnel en français puis en latin.

Écoutez les textes du chapitre à cette adresse :
lienmini.fr/latin4-060

APPRENDRE

Accédez à un **schéma animé et commenté** à cette adresse :
lienmini.fr/latin4-063

1 Les pronoms personnels

▶ Les pronoms personnels désignent une personne et remplacent le nom :
– la (les) personne(s) qui parle(nt) : je/nous.
– la (les) personne(s) à qui on parle : tu/vous.

> *Magister **mihi/nobis** consilia dat.* Le maitre **me/nous** donne des conseils.
> *Magister **tibi/vobis** consilia dat.* Le maitre **te/vous** donne des conseils.

▶ Utilisé au nominatif, le pronom personnel insiste sur le sujet.

> **Ego** *vobis consilia do ;* **vos** *autem audire debetis.*
> **Moi, je** vous donne des conseils ; **vous**, de votre côté, **vous** devez écouter.

Cas	1re personne		2e personne	
N.	ego	nos	tu	vos
Acc.	me	nos	te	vos
G.	mei	nostri	tui	vestri
D.	mihi	nobis	tibi	vobis
Abl.	me	nobis	te	vobis

> En latin, le vouvoiement de politesse n'existe pas : le pronom *vos* désigne deux ou plusieurs personnes.

2 Le pronom-adjectif *is, ea, id*

▶ **Utilisé seul**, **is, ea, id** rappelle la personne ou la chose dont on a déjà parlé.

Il est traduit par un **pronom personnel** de la 3e personne (le/la/les, lui/leur).

> **Hannibal** *venit :* **eum** *videmus.*
> **Hannibal** arrive : nous **le** voyons.

Au **génitif**, placé après un nom, il rappelle le possesseur déjà cité. Il est traduit par un **adjectif possessif**.

> **Hannibalis** *milites veniunt. Milites* **ejus** *videmus.*
> Les soldats **d'Hannibal** arrivent. Nous voyons les soldats **de lui** (= **ses** soldats).

▶ **Utilisé avec un nom** auquel il se rapporte directement (mêmes cas, genre, nombre), **is, ea, id** est traduit par un **adjectif démonstratif**. ◀

> **Eos** *milites jam vidimus.*
> Nous avons déjà vu **ces** soldats.

Cas	Singulier			Pluriel		
	Masculin	Féminin	Neutre	Masculin	Féminin	Neutre
Nominatif	is	ea	id	ei/ii	eae	ea
Accusatif	eum	eam	id	eos	eas	ea
Génitif		ejus		eorum	earum	eorum
Datif		ei			eis/is	
Ablatif	eo	ea	eo		eis/is	

➠ Voir Mémento **p. 157**

Bilan 1 La phrase simple et ses composants essentiels

Attribut du sujet
Nominatif

Compléments essentiels

COS
Datif

COD
Accusatif

Hannibal clarus dux **erat**.

Scipio Africanus Romanis pacem **dedit**.

VERBE d'état
→ esse (être)

VERBE
sujet exprimé au nominatif

VERBE d'action
→ dare (donner)

Vocabulaire

> **clades**, *is*, f. : la défaite
> **maeror**, *oris*, m. : la tristesse profonde, le chagrin

> **pax**, *pacis*, f. : la paix
> **proelium**, *ii*, n. : le combat
> **similis**, e : semblable
> **deleo**, es, ere, evi, etum : détruire

> **peto**, is, ere, ivi ou ii, itum : chercher à atteindre, attaquer
> **specto**, as, are, avi, atum : regarder
> **timeo**, es, ere, timui : craindre

Exercices

EXERCICES lienmini.fr/latin4-061

Saisissez cette adresse dans votre navigateur pour accéder à des **exercices interactifs**.

Décliner

1 Donnez l'ablatif singulier, le nominatif pluriel et le génitif pluriel des noms suivants.
hostis • rex • senex • corpus

2 Déclinez ces groupes de mots.
is vir • ea femina • id flumen

Reconnaitre les pronoms

3 Traduisez en latin les expressions en gras.
1. Quelqu'un est venu, j'ignore **son nom**.
2. Des gens sont venus, j'ignore **leur nom**.
3. Le commandant a écrit une lettre. Nous attendons **sa lettre**.
4. Les Romains ont écrit une lettre. Les Carthaginois attendent **leur lettre**.

4 Remplacez les noms en gras par la forme de is, ea, id qui convient.
1. Hannibalis elephanti Romanos terrent.
2. Deo Marti milites praedam praebent.
3. Rex omnes hostes interficit.
4. Hannibal **Romanos** superabat.

5 a. Complétez ce texte par la forme qui convient :
id • ea • eos.
Quintus Fabius, imperator Romanus, Carthaginiensibus epistulam dedit. In ... scripsit populum Romanum misisse ad ... hastas et caduceum, signa belli aut pacis. Ex signis Carthaginienses eligere debebant ... quod (que) cupiebant.
b. Traduisez les phrases.

6 Aenigma
« Qui suis-je ? » Lisez ces paroles pour le découvrir.

« Proelium, castra armaque semper me delectaverunt, nam pater meus fortis dux Punicus fuit. Roma mihi hostis exsecrabilis perfidusque fuit : itaque Romanos semper pugnavi. Nomen etiam meum Roma timuit et multas graves clades accepit. Ego sum... »

a. Traduisez avec l'aide du lexique.
b. Réécrivez le texte à la 3ᵉ personne.

7 Reconstituez ces phrases célèbres en reliant les dominos comme il convient.

Homo L'homme	debet	magna cura. un grand souci.
Magna fortuna Une grande fortune	est	homini lupus. un loup pour l'homme.
Qui desiderat pacem Celui qui veut la paix	est	mali testes. de mauvais témoins.
Saepe oculi et aures Souvent les yeux et les oreilles	sunt	parare bellum. préparer la guerre.

Lire, comprendre, traduire

8 Gradatim

Lisez ces phrases « pas à pas » et proposez une traduction pour la dernière phrase de chaque série (**c.**).
1. a. Scipio milites adversus Carthaginem duxit.
  b. Scipio milites adversus Carthaginem duxit et vincere potuit.
  c. Scipio milites adversus Carthaginem duxit : incolae eam magna virtute defenderunt sed Scipio vires eorum vincere potuit.
2. a. Tribuni plebis Scipionem petiverunt.
  b. Post bellum cum Antiocho tribuni plebis Scipionem petiverunt eumque accusaverunt.
  c. Post bellum cum Antiocho, Syriae rege, tribuni plebis Scipionem magna voce vehementer accusaverunt.
3. a. Tribuni plebis accusaverunt : « Scipio pecuniam ab Antiocho accepit. »
  b. Tribuni plebis accusaverunt : « Scipio pecuniam ab Antiocho accepit et cum eo pacem fecit. »
  c. Tribuni plebis accusaverunt : « Scipio, clarus Hannibalis victor, pecuniam ab Antiocho Syriae rege accepit et cum eo pacem sub populi Romani nomine fecit. »

9 Sententia

Levis est Fortuna dea : cito reposcit id quod dedit.

(Publilius Syrus, *Sentences*)

Complétez la traduction en choisissant le mot qui convient et apprenez la maxime par cœur.

La déesse ⭘ *des fontaines* ⭘ *de la force* ⭘ *du hasard* est ⭘ *généreuse* ⭘ *capricieuse* ⭘ *aveugle* : elle redemande vite ⭘ *ce qu'elle a donné* ⭘ *ce qu'elle a caché* ⭘ *ce qu'elle a jeté*.

Reconnaitre une préposition, un préfixe

10 La préposition **per + Acc.** signifie « à travers », « sur toute l'étendue » dans l'espace et dans le temps ; elle sert de préfixe dans la composition de nombreux verbes latins, marquant l'idée d'une action réalisée « jusqu'au bout ».

→ **Per** urbem Carthaginem Romani caedem **perfecerunt**.
À travers toute la ville de Carthage, les Romains accomplirent le massacre jusqu'au bout.

a. Établissez la carte d'identité du verbe perfecerunt et citez un nom français et un adjectif anglais qui en sont issus.

b. Dans la conjugaison latine comment s'appelle le temps qui exprime une action complètement achevée ? D'où vient ce nom ?

11 Tous ces adjectifs, sauf un, ont un point commun : lequel ?
perpétuel • permis • perfide • perméable • performant • périphérique • perplexe • permanent • perforé • périmé • pertinent
Éliminez l'intrus, puis associez chaque adjectif à sa définition.

qui est percé d'un trou

qui obtient de bons résultats

qui ne cesse pas

qui ne respecte pas sa parole

qui convient à la question posée

qui est indécis

qui se laisse traverser par l'eau

qui est autorisé

qui dure toujours

qui n'a plus cours

c. Choisissez le verbe qui peut remplacer *accomplir* dans l'expression « accomplir un crime ».

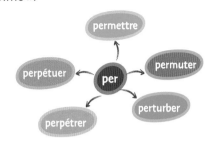

12 Sens propre, sens figuré
Formé sur le verbe ire (*aller*), le verbe **per**eo, is, ire, ivi ou ii, itum signifie « aller jusqu'au bout », d'où « aller jusqu'au bout de la vie », « disparaitre », « mourir ».

a. Quel verbe français est directement issu de ce verbe latin ?

b. Quels adjectifs, construits sur le même radical, signifient « qui est appelé à disparaitre » et « qui ne peut pas disparaitre » ?

titiant, *ils font ti-ti*

13 a. Voici quatre personnages que vous avez déjà rencontrés. Recopiez leur message.
b. Complétez chaque phrase en choisissant les mots # dans la liste.
Africa • Carthago • duxi • elephantisque • fulgur • gessi • Hispaniam • Italia • lingua • mihi • militum • nomen • novam • Regis • Rex • veni
c. Identifiez chaque personnage et inscrivez son nom dans l'adresse @.

1. @...
#... Graecus sum ; cum multis militibus #... in Italiam #..., sed victoria #... non fuit.

2. @...
Pater meus #... Punicorum dux erat ; ego in #... cum Romanis bellum #... .

3. @...
#... Tyrii filia sum et in #... urbem #... condidi. In lingua Punica urbis nomen #... est.

4. @...
Barca #... meum in #... Punica #... significat et in #... milites Punicos #... .

Que reste-t-il de Carthage ?

Complètement rasée par les Romains, la Carthage punique a laissé peu de traces archéologiques. On peut cependant imaginer son aspect.

•••••Carthage, une cité phénicienne en Afrique

① Reconstitution de Carthage à l'époque punique, musée national de Carthage (Tunisie).

Il n'existe pas de documents littéraires en langue phénicienne ou punique : c'est donc une tradition développée par des textes grecs et latins qui raconte l'histoire de Carthage, fondée par des colons phéniciens. Les archéologues ont pu dater des environs de 725 avant J.-C. le monument le plus ancien découvert dans la ville, un petit autel avec des offrandes aux divinités puniques. La cité se composait de deux parties : « la ville haute », autour de la citadelle de Byrsa, et « la ville basse », nommée Mégara, autour du port. Souvent modestes, les maisons étaient bâties en torchis autour d'une cour centrale ; elles pouvaient compter deux, voire trois étages, reliés par des escaliers en bois, et des toits en terrasses. Les murs étaient couverts de stuc et décorés de fresques, le sol dallé de mosaïques grossières. Le mobilier était rudimentaire.

❶ **Quelle est la date légendaire de la fondation de Carthage ? Racontez-la en quelques phrases.**

❷ **Cherchez ce que sont le torchis et le stuc. Pourquoi la reconstitution de la Carthage punique est-elle difficile ?**

❸ **Nommez et décrivez les parties de la ville que vous identifiez sur la reconstitution (doc. ①). Quels types de constructions retrouvez-vous sur les illustrations p. 55 et 65 ?**

•••••Sous le signe de Tanit

Carthage comptait de nombreux temples, témoignant de l'importance des cultes religieux dans la cité. Le panthéon punique était dominé par un couple souverain : Baal Hammon et Tanit, incarnations du pouvoir et de la fécondité, que les Romains ont comparés au couple Jupiter-Junon. En fait, Tanit est une variante punique de la grande déesse orientale Astarté, dont Aphrodite/Vénus partage aussi de nombreuses caractéristiques. Son symbole a été retrouvé à des milliers d'exemplaires à Carthage, sur des stèles, des mosaïques, des amulettes, des tablettes votives.

② Statuette découverte dans la nécropole punique de Puig des Molins à Ibiza, IIIe siècle avant J.-C. Considérée comme une représentation de Tanit, elle a été nommée « la Dame d'Ibiza ».

❹ **Décrivez la statuette (doc. ②). Qui représente-t-elle ? D'où provient-elle ? De quoi cela témoigne-t-il ?**

❺ **Cherchez ce qu'est le signe de Tanit et dessinez-le.**

••Carthage détruite, reconstruite... et à nouveau détruite

Une fois Carthage prise (p. 64), rien ne résista à l'acharnement et à la fureur des Romains : les habitants survivants furent emmenés comme esclaves, les murs qui avaient subsisté à l'incendie furent abattus, le territoire fut déclaré maudit. Une légende qui s'est répandue au Vᵉ siècle racontait même que le sol fut recouvert de sel pour que rien ne repousse.

Cependant, en **47 avant J.-C.**, grâce à Jules César, Carthage est refondée sous le nom de colonia Julia Carthago ; elle devient la capitale de la province d'Afrique à la période impériale. Toute la région retrouve sa prospérité : ses produits (denrées, animaux sauvages pour les jeux) affluent en Italie ; ses monuments égalent en taille et en splendeur les modèles de Rome, tels les thermes d'Antonin le Pieux (IIᵉ siècle).

Mais la Carthage romaine, dont la population est estimée à 300 000 habitants, est conquise en **439** par les Vandales : venus du nord de l'Europe, ils ont envahi progressivement une grande partie de l'empire romain. Une armée envoyée par l'empereur de Byzance reprend la ville en **533**. Un siècle plus tard, elle ne résiste pas à la conquête arabe : en **698**, ce sont les troupes de l'émir Hassan Ibn Numan qui détruisent complètement Carthage, comme les Romains avant elles. Les ruines de la cité ne sont plus alors qu'une vaste carrière, une réserve de pierres dans laquelle on puise par commodité.

Aujourd'hui, la Tunisie met en valeur son patrimoine punique et romain. Le musée du Bardo à Tunis détient la plus riche collection de mosaïques antiques au monde.

③ Ruines de la cité antique dominant la baie de Carthage, près de Tunis.

❻ **Comment les Romains ont-ils effacé toute trace de leur rivale ?**

❼ **Nommez la colline où les ruines ont été photographiées (doc. ③). De quelle partie de la ville antique s'agit-il ?**

❽ **Préparez un exposé illustré sur :**
a. un monument romain en Tunisie (les thermes de Carthage, l'amphithéâtre de Thysdrus, le Capitole de Dougga…) ;
b. les mosaïques du musée du Bardo : choisissez-en une et présentez-la en classe.

APPRENTI ARCHÉOLOGUE

Plusieurs figures mythologiques gréco-romaines incarnent l'élément marin, cher aux Carthaginois.

➡ **À vous de reconnaitre celle qui orne cette mosaïque conservée au musée du Bardo à Tunis.**

○ Frère de Jupiter, le dieu de la mer Neptune, doté d'une belle barbe, a pour attribut principal le trident.

○ Fils de Neptune, Triton a une grande queue de poisson et souffle dans une conque.

○ Ainé des Titans nés de la Terre et du Ciel, Océan est un vieux dieu barbu portant des pinces de crustacés.

La Méditerranée, un « lac romain »

À la fin du IIe siècle avant J.-C., Rome est la seule grande puissance en Méditerranée : après avoir éliminé ses rivaux, elle organise les territoires conquis en « provinces » (provinciae), administrées sur le modèle de Rome par des gouverneurs nommés par le Sénat.

Italia
Aux IVe-IIIe siècles avant J.-C., Rome a peu à peu conquis toute la péninsule italienne. Au nord, elle a absorbé les cités et territoires étrusques ; au sud, elle s'est imposée en « Grande Grèce », après la défaite et le départ de Pyrrhus Ier, roi d'Épire (-275). L'ensemble de ces territoires est sous l'autorité directe de la République.

Gallia Narbonensis
Vers 125 avant J.-C., les Romains viennent secourir les Phocéens de Massilia, menacés par des tribus gauloises. Ils en profitent pour occuper la région. Ils fondent une colonie à Narbo Martius en 118 avant J.-C., puis annexent la zone des Pyrénées aux Alpes, qui devient la province nommée Gallia Narbonensis.

Carte :
- Rhodanus
- GALLIA NARBONENSIS
- Narbo Martius
- Massilia
- Iberus
- HISPANIA
- Tarraco
- Cors.
- Corduba
- Sardini
- Utica
- Carthago
- MAURETANIA
- NUMIDIA
- AFRICA

Hispania
Après la deuxième guerre punique et la défaite de Carthage, la péninsule Ibérique conquise par Scipion l'Africain est divisée en deux provinces en -197 : Hispania citerior (au nord, capitale Tarraco) et Hispania ulterior (au sud, capitale Corduba).

0

Africa
Après la troisième guerre punique et la destruction complète de Carthage en -146, les Romains créent aussitôt la provincia Africa, avec Utica comme capitale.

❶ **Relevez les noms latins sur la carte.**
a. Recopiez-les dans un tableau en les classant par catégories (territoires, villes, fleuves, mers).
b. Inscrivez sous chacun d'eux le nom moderne correspondant.

❷ **Combien de provinces comptez-vous ?** Nommez-les en latin et en français.

❸ **Quel est le nom de la première province créée par les Romains ?**

Macedonia

Vainqueurs des rois de Macédoine, alliés de Carthage, les Romains s'emparent de leur royaume, qui fut celui d'Alexandre le Grand (mort en -323). Ils en font la province de Macédoine en -146. La même année, après la prise de Corinthe, ils soumettent les cités grecques qui résistaient encore et les placent sous l'autorité du gouverneur romain de Macédoine.

Illyricum

Après une série de guerres contre les Illyriens, accusés de soutenir les pirates, très actifs dans l'Adriatique, et la victoire de Pydna contre le roi de Macédoine Persée (-168), les Romains imposent leur autorité sur toute la côte qu'ils nomment Illyricum.

A

Mare Adriaticum

ILLYRICUM

● **Roma**

MACEDONIA

● **Pydna**

EPIRUS

Sicilia

● **Pergamum**

A S I A

● **Corinthus**

Mare Internum

Asia

Dans son testament, le roi de Pergame Attale III, mort sans héritier en -133, lègue « au peuple romain » son royaume, fondé par un général d'Alexandre le Grand à la fin du IVe siècle avant J.-C. Les Romains en font la province d'Asie en -129.

AEGYPTUS

Nilus

L'expansion de Rome en Méditerranée à la fin du IIe siècle avant J.-C.

Sicilia   **Corsica et Sardinia**

Enjeu déterminant contre Carthage, la Sicile devient en -241 la première provincia Romana, créée hors de la péninsule italienne. En -227, Rome réunit la Corse et la Sardaigne, les deux iles qu'a dû lui céder Carthage, dans une même province.

❹ Sur combien de continents s'étend l'autorité de Rome ? Nommez-les en français et en latin.

❺ Les Romains utilisent deux expressions pour désigner la Méditerranée : lesquelles ? Expliquez-les.

Un vieux grincheux

Alors que la paix a été conclue entre Romains et Carthaginois après la deuxième guerre punique (p. 63), Caton dit l'Ancien ne cesse de réclamer la destruction de la grande cité africaine.

Mosaïque du triclinium de la maison "Africa", à Thysdrus (El Djem), IIIe siècle, Musée archéologique d'El Djem (Tunisie).

1. Cato clamabat.
Cato odio flagrans semper clamabat.
Cato perniciali odio Carthaginis flagrans Romaeque securitatis anxius semper clamabat.
Cato perniciali odio Carthaginis flagrans Romaeque securitatis anxius semper clamabat in Curia : « Carthago delenda est ! »

2. Adtulit ficum.
Adtulit in Curiam praecocem ficum.
Adtulit quodam die in Curiam praecocem ficum.
Adtulit quodam die in Curiam praecocem ex Carthaginis provincia ficum.
Adtulit quodam die in Curiam praecocem ex Carthaginis provincia ficum ostenditque patribus.

3. « Interrogo vos ».
« Interrogo vos, inquit : quando putatis ? »
« Interrogo vos, inquit : quando ficum demptam putatis ? »
« Interrogo vos, inquit : quando hanc ficum demptam putatis ex arbore ? »

4. Constat inter omnes.
Tum constat inter omnes : recens est ficus. « Atqui scitote. »
Tum constat inter omnes : recens est ficus. « Atqui, inquit Cato, scitote ficum decerptam. »
Tum constat inter omnes : recens est ficus. « Atqui tertium, inquit Cato, ante diem scitote ficum decerptam Carthagine. »

5. Cato addidit : « habemus hostem ! »
Cato addidit : « Tam prope a muris habemus hostem ! »
Cato addidit : « Tam prope a muris nostris habemus hostem ! » statimque senatores tertium bellum Punicum inceperunt
Cato addidit : « Tam prope a muris nostris habemus hostem ! » statimque senatores tertium bellum Punicum inceperunt Carthaginemque totam Romani deleverunt.

Pline l'Ancien, *Histoire naturelle*, livre XV, 20, 74-75 (texte légèrement modifié).

Traduisez « pas à pas »

1 Lisez « pas à pas » chaque série de phrases progressivement enrichies.

2 Proposez une traduction pour la dernière phrase de chaque série (en gras) en vous aidant du vocabulaire et du lexique si nécessaire.

3 Observez la mosaïque et éliminez l'adjectif qui ne convient pas.

Fici sunt ...

immaturae

recentes

praecoces

Vocabulaire pour traduire

constat inter omnes : tout le monde est d'accord • delenda est : (elle) doit être détruite • flagrans : participe présent du verbe flagrare (bruler) • hanc (Acc. f. sg.) : cette • patres, *trum*, m. pl. : les « pères » = les sénateurs • praecox, oquis ou ocis : précoce • quodam die (Abl. complément de temps) : un certain jour • scitote (impératif futur) : sachez bien (pour l'avenir) que (+ Acc. et participe parfait passif) • tam prope a, ab : si près de (+ Abl.)

Un discours de référence

❶ Traduisez en français les deux mots attribués au « grand Caton ». En quoi cette référence est-elle comique ?

❷ Proposez une traduction en latin de la première phrase de l'orateur. N'utilisez pas le verbe *avoir* mais une tournure que les Romains emploient plus souvent.

> **Vocabulaire pour traduire**
> delendus, a, um : (qui) doit être détruit(e) • oratio, *onis*, f. : discours • optimus, a, um : superlatif de bonus, a, um

ASTERIX®-OBELIX® / © 2017 LES ÉDITIONS ALBERT RENÉ/GOSCINNY - UDERZO

Vieux, et alors ?...

Cicéron imagine un débat sur la vieillesse où il donne la parole à Caton lui-même.

1. Nihil adferunt ei qui (ceux qui) senectutis utilitatem negant similesque sunt eis qui (à ceux qui) dicunt : « Gubernator in nave nihil agit ! »

2. In navibus alii malos scandunt, alii per foros cursant, alii sentinam exhauriunt, ille (lui = le pilote) autem clavum tenet quietusque sedet in puppi.

3. Gubernator non facit ea quae (les choses que) juvenes faciunt, at vero majora et meliora (comparatifs de magna et de bona).

4. Non viribus aut velocitate aut celeritate corporum homines operas magnas gerunt, sed consilio, auctoritate, sententia : ea (ces qualités-là) enim non solum senectus non infirmat, sed etiam auget.

5. Ego fui miles et tribunus et legatus et consul bellorumque varia genera vidi ; nunc quia (parce que) bella non gero cessare debeo ?

6. At senatores rem publicam gerere doceo vobisque Carthaginis imperium jam diu denuntio.

7. Romae maxima pericula semper timebo dum (jusqu'à ce que) Carthaginem urbem deletam videbo.

D'après **Cicéron** (106-43 avant J.-C.), *Traité sur la vieillesse*, VI, 17-18.

Traduisez « pas à pas »

❶ Lisez le texte phrase par phrase.

❷ Inspirez-vous de la méthode à la page 74 : repérez « pas à pas » les éléments « de base » (verbes conjugués, sujets, COD) puis les divers « enrichissements » jusqu'à la phrase complète.

❸ Proposez une traduction en vous aidant du lexique.

Préparez un commentaire

❹ Caton est mort trois ans avant la prise de Carthage : retrouvez la date (p. 64). Relevez les mots latins qui font allusion à son obsession (p. 74).

❺ Relevez les noms latins qui, selon Caton, résument les qualités de la jeunesse et celles de la vieillesse.

❻ Quelle métaphore emploie-t-il pour démontrer son point de vue ?

Bilan

Le point de vue d'un orateur
Rédigez quelques lignes pour présenter la personnalité de Caton à travers les deux extraits de textes (pp. 74 et 75) : qu'est-ce qui a fait sa célébrité ?
Donnez à votre tour votre point de vue sur les mérites comparés de la jeunesse et de la vieillesse.

● Εὕρηκα !

Pendant la deuxième guerre punique, un mathématicien et ingénieur de génie mit ses talents au service du roi de la ville grecque de Syracuse, en Sicile (p. 55). Découvrez-le à travers deux extraits en latin et en grec.

Le roi Hiéron de Syracuse s'est fait confectionner une couronne en or pur : méfiant, il veut vérifier que son orfèvre ne l'a pas dupé en remplaçant une partie de l'or par de l'argent ; il demande donc à son ingénieur favori de trouver un moyen pour vérifier la composition de cette couronne.

La solution n'est connue que par un texte de l'architecte romain Vitruve, repris par l'auteur grec Plutarque, plus d'un siècle plus tard.

Hiero rogavit Archimeden [...].
Tunc is, cum haberet ejus rei curam, casu **venit in balineum** ibique, cum in solium descenderet, animadvertit quantum corporis sui **in solio** insideret
5 tantum aquae **extra solium** effluere.

Itaque cum ejus rei rationem explicationis id ostendisset, non est moratus, **sed exsiliuit gaudio motus de solio, et nudus** vadens domum **universis significabat clara voce** se invenisse quod quaereret. **Nam**
10 **currens identidem Graece clamabat** :
« Εὕρηκα, Εὕρηκα ».

Marcus Vitruvius Pollio,
De architectura, liber nonus.

... [...].
Alors celui-ci, comme il avait le souci de cette affaire, ... par hasard et là, comme il descendait dans la baignoire, il s'aperçut qu'autant de
5 son corps s'enfonçait ..., autant d'eau s'écoulait
... .
C'est pourquoi comme cela faisait voir le calcul de l'explication de cette affaire, il ne s'attarda pas, ..., ... marchant vers sa maison ... qu'il
10 avait trouvé ce qu'il cherchait. ... :
« Εὕρηκα, Εὕρηκα ».

Vitruve (env. 90-20 avant J.-C.),
De l'architecture, livre IX, préface, 10.

Ἀρχιμήδην δὲ βίᾳ τῶν διαγραμμάτων ἀποσπῶντες ὑπήλειφον **οἱ θεράποντες**· ὁ δ᾽ ἐπὶ τῆς κοιλίας ἔγραφε τὰ σχήματα τῇ στλεγγίδι. Ἐλθὼν δ᾽ **εἰς τὸ βαλανεῖον** καὶ
5 λουόμενος ὥς φασιν ἐκ τῆς ὑπερχύσεως ἐννοήσας τὴν τοῦ στεφάνου μέτρησιν οἷον ἔκ τινος κατοχῆς ἢ ἐπιπνοίας ἐξήλατο βοῶν « εὕρηκα », καὶ τοῦτο πολλάκις φθεγγόμενος ἐβάδιζεν.

Πλούταρχος, Ἠθικά, « Ὅτι μηδὲ ζῆν ἡδέως ἔστιν κατὰ τὰ Ἐπικούρου δόγματα ».

Quant à ..., ses ... l'arrachaient de force à ses ... pour le frictionner (avec de l'huile), et lui pendant ce temps-là ... des ... sur son ventre avec le racloir. Un jour étant venu ... et, comme on le raconte, ayant compris d'après le débordement de l'eau pendant qu'il se lavait comment calculer ... grâce à une forme d'inspiration ou de délire divin, il bondit (hors de la baignoire) en criant « ... », et il marchait en répétant ce mot à plusieurs reprises.

Plutarque (env. 46-125), Œuvres morales,
« Qu'il n'est pas même possible de vivre agréablement selon la doctrine d'Épicure », XI.

Une **vidéo** sur Archimède et ses inventions.

Gravure sur bois colorisée, env. 1547.

Entrez dans les textes

❶ Lisez le nom de chaque auteur dans sa langue, puis donnez son nom en français.

❷ Lisez l'introduction : quelle est la spécialité du héros de l'histoire racontée par ces deux auteurs ?

❸ Quel problème lui est posé ? Par qui ?

Repérez les informations

❹ **Qui ?** Lisez à haute voix la première phrase du texte latin puis la première phrase du texte grec. Relevez le nom propre du personnage cité par les deux auteurs et traduisez-le.

❺ **Où ?** Lisez à haute voix les groupes de mots surlignés en vert en latin puis en grec. Traduisez-les en vous aidant de l'image.

❻ **Quel mot ?** Le personnage que vous avez découvert a prononcé un mot resté très célèbre. Retrouvez-le dans les deux textes.
a. Que constatez-vous ?
b. Dans quelle langue ce mot a-t-il été prononcé ? Relevez l'adverbe latin qui le confirme.
c. Proposez une traduction pour ce mot.

Le mot est une forme du parfait du verbe εὑρίσκω, exactement comme inveni est une forme du parfait du verbe invenio.

❼ Écrivez les noms grecs correspondant aux numéros sur la gravure ci-dessus (**1** , **2** , **3**).

Complétez, traduisez

❽ Complétez la traduction du texte latin (mots en gras) en vous aidant des informations déjà découvertes et du lexique.

❾ Complétez la traduction du texte grec en vous aidant du vocabulaire ci-dessous.

Vocabulaire pour traduire
> γράφω (verbe) : je trace des signes (pour dessiner, pour écrire) – ἔγραφε : 3e pers. du sg. imparfait
> τὸ διάγραμμα (nom neutre) : le contour dessiné, la figure (de géométrie)
> τὸ σχῆμα (nom neutre) : la forme extérieure, la figure (de géométrie)
> ἡ μέτρησις : l'action de prendre la mesure (τὸ μέτρον)
> ὁ στέφανος (nom masculin) : la couronne
> τὸ βαλανεῖον (nom neutre) : l'endroit où on prend un bain, le bain
> οἱ θεράποντες· : ceux qui apportent leurs soins (θεραπεύω, je soigne), serviteur

Bilan

❿ **Utilisez le vocabulaire grec pour répondre.**
a. Quel adjectif qualifie le système que nous utilisons pour prendre des mesures ?
b. Quels prénoms masculin et féminin signifient *couronné* ?
c. Quels noms français sont issus des deux noms grecs signifiant *figure* ?
d. Citez plusieurs mots français tirés du verbe grec signifiant *dessiner*.
e. Que signifie le nom *balnéothérapie* ? Comment est-il formé ?
f. Citez deux noms français tirés du verbe grec signifiant *soigner*.

⓫ **Comparez les deux témoignages de Vitruve et de Plutarque : rédigez un bref commentaire.**

⓬ **Préparez un exposé sur la vie d'Archimède. Cherchez en quoi consiste son théorème et faites une présentation de ses travaux avec l'aide de votre professeur de mathématiques.**

Nautae, in tela navigate !

Marins, naviguez sur la toile !

Découvrez comment le latin peut aussi être la langue de l'informatique et engagez une conversation entre (inter)nautes.

Les noms

• bestiola, *ae*, f. : petite bête, insecte (anglais *bug*) ; erreur

• clavicula, *ae*, f. : petite clé ; ad Usum (usage) Sertum (attaché) Biforem (à deux ouvertures) = clé USB

• clavium tabula, *ae*, f. : planche à clés (anglais *keyboard*), clavier

• computatorium, *i*, n. : ordinateur (nom formé sur le verbe computare, compter, d'où vient précisément le nom *computer*, « ordinateur » en anglais)

• mus, *uris*, m. : souris (anglais *mouse*)

• nexus, *us*, m. : enchaînement, lien, connexion

• notitia, *ae*, f. : connaissance (sur un sujet) ; notice

• pagina, *ae*, f. : feuillet de papyrus, page

• rete, *is*, n. : filet (de pêcheur), réseau

• scrinium (*i*) quadrum, *i*, n. : coffret carré (écrin), écran (*screen* en anglais)

• tela, *ae*, f. : toile d'araignée (anglais *web*), toile

• Tela Totius Terrae = la Toile de Toute la Terre (TTT) = WWW, *World Wide Web* en anglais

• Unus Requirendus Locus = un lieu à chercher (l'adresse URL, *Uniform Resource Locator*)

NAUTAE, CAVE PIRATAS ! CUM TELA TOTIUS TERRAE NEXUM INTERRUPTUM RENOVATE !

Les verbes

• amitto, is, ere, misi, missum : perdre

• aperio, is, ire, aperui, apertum : ouvrir, allumer

• caveo, es, ere, cavi, cautum : prendre ses précautions, se méfier de, éviter

• inscribo, is, ere, scripsi, scriptum : inscrire

• interrumpo, is, ere, rupi, ruptum : couper, interrompre, éteindre

• invenio, is, ire, veni, ventum : trouver

• navigo, as, are, avi, atum : naviguer

• requiro, is, ere, quisivi, quisitum : rechercher

• renovo, as, are, avi, atum : renouveler

Agite ! C'est à vous !

1 Lisez à haute voix la phrase prononcée par le personnage sur l'illustration puis les phrases suivantes.

• Navigabam in tela, sed bestiola est in computatorio meo reteque interrupit.

• Scrinium quadrum muremque aperuisti ? Claviculam ad Usum Sertum Biforem amisisti ?

• Unum Requirendum Locum inscribimus novamque paginam invenimus.

• Apud Vicipaediam notitias de bellis Punicis requirere debes. Quam senteniam Latinam in Vicipaediae pagina prima legis ?

2 Formez un groupe de locuteurs. Utilisez les phrases que vous avez lues et inventez-en d'autres pour échanger entre vous.

Nota bene

Le site Wikipédia a une version en latin, créée en 2002 : Vicipaedia, *ae*, f.

VENI VIDI VICIPÆDIA
Libera Encyclopaedia

Casus belli

264 avant J.-C. : les Romains s'apprêtent à défier Carthage (p. 53). Les adversaires s'affrontent d'abord en paroles… Pour découvrir la provocation qu'ils se lancent en grec et en latin, reconstituez les deux phrases découpées chacune en 4 morceaux (d'après Diodore de Sicile, *Bibliothèque historique*, Fragments 23, XVII, 1).

1 Recopiez et classez tous les morceaux en grec, en latin, en français.

ἐκ τῆς θαλάσσης !

τολμήσετε

semper existitimus

Discipuli enim

nous les Romains

Romains,

in mari !

ne manus lavare quidem

dans la mer !

Romani,

ἀεὶ ἐγενόμεθα

Ῥωμαῖοι,

En tant qu'élèves en effet

vous n'oserez

Μαθηταὶ γὰρ ὄντες

meilleurs que nos maitres !

κρείττοι τῶν διδασκάλων !

nos Romani

même pas vous laver les mains

οὐδὲ νίψασθαι τὰς χεῖρας

meliores magistris !

audebitis

2 Recollez-les dans l'ordre en comparant les trois langues.

ἡμεῖς οἱ Ῥωμαῖοι

nous nous sommes toujours montrés

οἱ Φοίνικες ➜ …
Punici ➜ …
Les Carthaginois ➜ …

οἱ Ῥωμαῖοι ➜ …
Romani ➜ …
Les Romains ➜ …

Tous en scène

Pyrgopolinice (« Vainqueur de tours et de villes » en grec) est un militaire vantard et ridicule dont se moque le client Artotrogus (« Ronge-pain » en grec).
Formez une équipe, apprenez les vers latins par cœur et mettez-les en scène.

PYRGOPOLINICE. Curate, ut splendor meo sit clupeo clarior quam solis radii esse olim cum sudum'st solent ! […]
Nam ego hanc machaeram mihi consolari volo, […] quae misera gestit fartum facere ex hostibus.
Sed ubi Artotrogus hic est ? […]
ARTROTOGUS. Eccum ! Edepol, vel elephanto in India, quo pacto pugno praefregisti brachium !
PYRGOPOLINICE. Quid, brachium?
ARTROTOGUS. Illud dicere volui, femur.

PYRGOPOLINICE. Activez-vous, que mon bouclier ait un éclat plus puissant que les rayons du soleil n'en ont d'habitude quand il fait beau ! […]
En vérité, moi je veux réconforter cette épée à moi, […] qui brule, la pauvre, de faire de la farce d'ennemis hachés menu.
Mais où est Artotrogus en ce moment ? […]
ARTROTOGUS. Me voici ! par Pollux, par exemple, cet éléphant en Inde, de quel coup de poing tu lui as cassé un bras !
PYRGOPOLINICE. Quoi, un bras ?
ARTROTOGUS. Ça, je voulais dire la cuisse.

Plaute (env. 254-184 avant J.-C.), *Miles gloriosus* (Le Soldat fanfaron), vers 1-27.

La famille

Les Romains accordent une grande importance à la vie familiale et sociale. Dans la maison, qui réunit maitres et esclaves (familia), comme à l'extérieur, elle est faite de relations codifiées avec les proches (familiares), qui s'expriment par des comportements et des sentiments variés.

Menez l'enquête

Chaque maison romaine comporte une sorte de petit oratoire, souvent une simple niche dans un mur de l'atrium, qui abrite les divinités protectrices du foyer.

Que signifie le nom *oratoire* ? De quel verbe latin est-il issu ?

Qu'en concluez-vous en ce qui concerne les habitudes familiales ?

et les proches

Reconstitution d'une *domus*.

Lire l'image

❶ Quelles pièces de la maison identifiez-vous ? Grâce à quels indices ?

❷ Décrivez le décor : que remarquez-vous sur les murs ?

❸ Décrivez les différents groupes de personnages : que font-ils ?
Qu'est-ce qui distingue les maitres des serviteurs ?

Chapitre

7

Dans l'intimité du foyer

Dans chaque maison romaine, aussi modeste soit-elle, on honore les divinités attachées au foyer pour obtenir leur protection.

Lecture

Prière aux Lares AUDIO

Alors qu'il doit partir à la guerre, le jeune poète Tibulle adresse cette émouvante prière aux dieux protecteurs de la vieille demeure familiale où il a grandi.

Sed patrii servate Lares : aluistis et idem,

Mais protégez-moi, Lares de mes pères : c'est vous aussi qui m'avez nourri,

cursarem vestros cum tener ante pedes.

lorsque, ... , je courais ... .

Neu pudeat prisco vos esse e stipite factos :

Et n'ayez pas honte d'avoir été taillés ... :

sic veteris sedes **incoluistis** avi.

c'est sous cette forme que ... l'antique demeure de mon aïeul.

5 Tum melius tenuere fidem, cum paupere cultu

5 À cette époque on respectait mieux ..., quand avec un culte qui se contentait de peu,

stabat in exigua ligneus aede deus.

... ...

Hic placatus **erat**, seu quis libaverat uva,

Celui-ci ... ..., soit parce qu'on lui avait fait une libation avec une grappe de raisin,

seu dederat sanctae spicea serta comae,

soit parce qu'on avait donné ... ...,

atque aliquis voti compos liba ipse **ferebat**

et celui qui avait obtenu la réalisation de son vœu ... lui-même ...

10 postque comes purum filia parva favum.

10 et derrière lui, en escorte, ... [apportait] ... .

At nobis aerata, Lares, depellite tela,

Mais écartez loin de nous, Lares, ...,

hostiaque e plena rustica porcus hara.

et la ... [sera] ... [tirée] ... .

Je la suivrai avec un vêtement sans tache et je porterai une corbeille couronnée de myrte, moi-même avec la tête aussi couronnée de myrte. Qu'ainsi je vous sois

15 agréable !

Albius Tibullus, *Elegiae*, liber primus.

Tibulle (env. 50-19 avant J.-C.), *Élégies*, livre I, X, vers 15-29.

deus, *i*, m. : le dieu

La racine indo-européenne *dyéws* (*di-/dei-*) exprime l'idée de la lumière brillante du ciel. Elle est à l'origine du nom deus (dieu), vu comme un « habitant du ciel », mais aussi du nom dies, *ei*, m. (jour), défini précisément par la lumière du ciel.

Fresque provenant du laraire d'une maison pompéienne, Iᵉʳ siècle, Musée archéologique de Naples.

Étymologie

a. Dans le panthéon grec, le souverain des dieux et du ciel se nomme Ζεύς (N.), Διός (G.) : quelle racine reconnaissez-vous ?

b. En latin son nom est composé à partir de la même racine et du nom pater ; il a le sens de « père de la lumière ». Quel est ce nom ?

c. À quel nom latin rattachez-vous les mots suivants ?
quotidien • divin • lundi • diurne • diva • midi • divinité • déification

Comprendre le texte et l'image

① Lisez à haute voix le texte latin.

② Complétez la traduction en vous aidant des couleurs et du lexique.

③ Un autel se trouve au centre de la fresque : quelle indication donne-t-il sur la scène ?

④ Combien de personnages comptez-vous ? Décrivez-les (vêtements, gestes). À votre avis, pourquoi sont-ils de tailles différentes ?

⑤ Les deux personnages qui encadrent la scène sont ceux que prie le poète Tibulle : nommez-les en latin et en français. Quelle est leur fonction ?

⑥ Sous quelle forme étaient-ils honorés dans la maison familiale de Tibulle ?

⑦ Retrouvez dans le texte latin le nom de l'animal qui figure sur la fresque. À quoi cet animal est-il destiné ? Citez le nom latin qui permet de le comprendre.

⑧ Décrivez la partie inférieure de la fresque : que représente-t-elle ?

OBSERVER et REPÉRER

Paroles de Lare

1. « **In caelo** magni bonique sunt dei superi.
« Dans le ciel, les dieux d'en haut sont grands et bons.

2. Juppiter maximus optimusque omnium deorum est.
Jupiter est le plus grand et le meilleur de tous les dieux.

3. Ego Lar familiaris minor deis superis sum ; **in domo** tamen major atque melior quam Juppiter sum.
Moi, le Lare familial, je suis plus petit que les dieux d'en haut ; pourtant dans la maison je suis plus grand et meilleur que Jupiter.

4. In Romae suburbano rure veterrimam exiguissimamque domum incolo.
J'habite une maison très vieille et très petite dans la campagne aux environs de Rome.

5. In domo mea <u>quotidie</u> paterfamilias me primum <u>semper</u> salutat **ante omnes deos hominesque**. »
Dans ma maison, quotidiennement, le père de famille me salue toujours le premier, avant tous les dieux et les hommes. »

Lare, fresque de la maison des Vettii (détail), Pompéi, Ier siècle après J.-C.

À l'oral

Éliminez la phrase qui ne correspond pas à l'image.
a Domina mihi pulcherrimam coronam fecit.
b Cum deis superis caelum incolo.
c In domo dominus quotidie me salutat.

Repérez les degrés de l'adjectif

1 Phrases 1, 2 et 3

a. Relevez en français les adjectifs signifiant *grand* et *bon*. Qui qualifient-ils ? Identifiez le degré de chaque adjectif (comparatif, superlatif).
b. Retrouvez les adjectifs correspondants en latin : que constatez-vous ?

2 Phrase 3

a. Relevez les trois adjectifs latins qualifiant le Lare : quel est leur cas ? Qu'ont-ils en commun ?
b. À qui le Lare se compare-t-il ? Relevez les groupes de mots en français puis en latin : que constatez-vous ?

3 Phrase 4

a. Quels adjectifs qualifient la maison en français ? Identifiez le degré de chaque adjectif (comparatif, superlatif).
b. Retrouvez les adjectifs correspondants en latin : que constatez-vous ?

Identifiez les composants de la phrase

4 Phrases 1, 3, 4 et 5

a. Retrouvez la traduction des groupes de mots latins en gras. Sont-ils des compléments essentiels (p. 67) ?
b. Comment ces groupes sont-ils constitués ? Quelles informations apportent-ils ?

5 Phrase 5
Retrouvez la traduction des mots soulignés. Quelle est leur classe ? À quel élément de la phrase apportent-ils une information ?

Faites le bilan

6 En français, comment exprime-t-on les degrés de comparaison d'un adjectif ? Quelles caractéristiques permettent de les reconnaitre en latin ?

Écoutez les textes du chapitre à cette adresse :
lienmini.fr/latin4-070

APPRENDRE

Accédez à un **schéma animé et commenté** à cette adresse :
lienmini.fr/latin4-073

1 Les degrés de l'adjectif : comparatif et superlatif

▶ **L'adjectif qualificatif** prend des formes différentes suivant **le degré de la qualité exprimée.**

Positif	Comparatif	Superlatif
Règle générale clarus, a, um : célèbre fortis, e : courageux ingens, -ntis : immense	**radical + ior, ior, ius (G. : ioris)** **clar**ior, ior, ius : plus célèbre **fort**ior, ior, ius **ingent**ior, ior, ius	**radical + issimus, a, um** **clar**issimus, a, um : le plus célèbre, très célèbre **fort**issimus, a, um **ingent**issimus, a, um
Adjectifs en -er miser, era, erum : misérable	**miser**ior, ior, ius	**radical + rimus, a, um** **miser**rimus, a, um
Adjectifs en -ilis facilis, e : facile	**facil**ior, ior, ius	**radical + limus, a, um** **facil**limus, a, um

Les **adjectifs au** comparatif se déclinent comme les adjectifs de la 2e classe (vetus, G. veteris).

Les **adjectifs au** superlatif se déclinent comme les adjectifs de la 1re classe (bonus, bona, bonum).

2 Les compléments du comparatif et du superlatif

▶ Le **complément du** comparatif est introduit par **quam** ou bien il est à l'**ablatif**.

> Dei potentiores **quam homines / hominibus** sunt.
> Les dieux sont plus puissants **que les hommes**.

▶ Le **complément du** superlatif est au **génitif** ou à l'**ablatif** précédé de la préposition **e/ex**.

> Juppiter maximus **omnium deorum / ex omnibus deis** est.
> Jupiter est le plus grand **de tous les dieux**.

Bilan 2 La phrase simple et ses composants non essentiels

Construite avec des éléments essentiels (p. 67), la phrase est souvent enrichie de compléments dits « circonstanciels ». Le verbe peut aussi être enrichi par un adverbe.

Compléments circonstanciels lieu, temps, etc. (avec ou sans <u>préposition</u>)

Compléments essentiels

Compléments circonstanciels lieu, temps, etc. (avec ou sans <u>préposition</u>)

COS   COD

<u>In</u> domo sua dominus *quotidie* deo Lari salutem *semper* **dat** <u>ante</u> omnes deos hominesque.

sujet au nominatif

adverbes qui précisent les modalités de l'action

VERBE

Vocabulaire

Certains adjectifs ont des **radicaux différents** pour les trois degrés.

Positif	Comparatif	Superlatif
▸ **bon**us, a, um	▸ **mel**ior, ior, ius : meilleur	▸ **optim**us, a, um : le meilleur, très bon
▸ **mal**us, a, um	▸ **pej**or, or, us : pire, plus mauvais	▸ **pessim**us, a, um : le pire, très mauvais
▸ **magn**us, a, um	▸ **maj**or, or, us : plus grand	▸ **maxim**us, a, um : le plus grand, très grand
▸ **parv**us, a, um	▸ **min**or, or, us : plus petit	▸ **minim**us, a, um : le plus petit, très petit

Exercices

EXERCICES **lienmini.fr/latin4-071**
Saisissez cette adresse dans votre navigateur pour accéder à des **exercices interactifs**.

Décliner

1 Formez les comparatifs de ces adjectifs.
laetus, a, um • difficilis, e • tristis, e • miser, era, erum • saevus, a, um • levis, e • acer, acris, acre

2 Formez les superlatifs de ces adjectifs.
sacer, cra, crum • angustus, a um • similis, e • injustus, a, um • doctus, a, um

3 Choisissez le superlatif qui convient et traduisez. Attention aux accords !
altissima • optimus • terribilissimum • pulcherrima • maxima • fortissimus
1. Roma ... urbium est.
2. Nautis naufragium ... periculorum est.
3. Pax ... beneficiorum est.
4. Romanis ... imperator vir ... est.
5. ... arborum rex silvarum est.

4 Soulignez les comparatifs et traduisez.
1. Virtus est pretiosor auro.
2. Patria mihi vita mea est carior.
3. Horatius clarissimus poeta scripsit :
« Exegi monumentum aere perennius regalique situ pyramidum altius ».
[regali situ pyramidum = regalibus pyramidibus]

5 **a.** Retrouvez le lien qui unit les éléments du tableau entre eux.

comparatif ou superlatif	formé sur...
plures	prae (adverbe) : en avant
prior	inferus : qui est au-dessous
superior	propinquus : proche
primus	superus : qui est au-dessus
inferior	multi : nombreux
proximus	

a donné en français	
primauté	proximité
pluralité	supériorité
priorité	infériorité

b. La première colonne contient deux superlatifs : retrouvez-les. Quel indice permet de répondre ?

c. D'où viennent les noms *majorité, minorité, amélioration* ? Que signifient les expressions *a priori, a posteriori* ?

6 Traduisez ces groupes de mots en latin.

le plus savant des maitres

la plus belle des déesses

le plus sage des hommes

le plus joyeux des convives

le plus petit des temples

Lire, comprendre, traduire

7 **Gradatim**
Lisez ces phrases « pas à pas » et proposez une traduction pour la dernière phrase de chaque série (**c.**).
1. **a.** Dea pomum dedit.
   b. Junoni Minervaeque Venerique Discordia dea pomum dedit.
   c. Junoni Minervaeque Venerique Discordia terribilissima dea pomum rutilantius auro dedit.

2. **a.** Deae pomum acceperunt et legere potuerunt.
   b. Deae pomum aureum acceperunt et unum verbum legere potuerunt.
   c. Deae sine timore pomum aureum acceperunt et unum verbum in pomo scriptum legere potuerunt : « Pulcherrimae ».

3. **a.** Paris pomum Veneri dedit.
   b. Paris pomum aureum Veneri dearum pulcherrimae dedit et cum Veneris auxilio Helenam rapere potuit.
   c. Paris pomum aureum Veneri dearum pulcherrimae dedit et cum Veneris auxilio regis Spartae conjugem Helenam feminarum pulcherrimam rapere potuit.

8 **Sententia**

Discipulus est prioris posterior dies.

Choisissez la bonne traduction et apprenez par cœur cette maxime en latin.

(Publilius Syrus, *Sentences*)

○ Un élève arrivé la veille ne doit pas manquer le lendemain.
○ Le jour d'après est l'élève du jour d'avant.
○ L'élève connait son jour *a priori* ou *a posteriori*.

Reconnaitre une préposition, un préfixe

9 La préposition **sub + Acc. ou Abl.** signifie « sous » ; elle sert de préfixe (su-, sub-, suc-, sum-, sup-) dans la composition de nombreux mots latins.

→ Pluto deus **sub** terra habitat. Poeta deo **sup**plicat.
Le dieu Pluton vit **sous** la terre. Le poète adresse ses prières au dieu.

a. Formé du préfixe sub- et du verbe plico, as, are, *plier*, le verbe supplico, as, are, avi, atum signifie « plier les jambes sous les genoux » (se mettre à genoux), ce qui est le geste traditionnel de la prière (supplicatio, *onis*, f.) mais aussi celui de la soumission au châtiment (supplicium, *ii*, n.). Quels verbes et noms français sont directement issus des verbes et noms latins cités ?

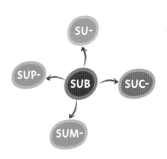

b. Recopiez le tableau suivant, complétez-le et expliquez comment est formé chaque verbe latin.

Carte d'identité	succedo, ...	suppono, ...	summitto, ...	subsisto, ...	suspicio, ...
Verbes français					
Noms français					

10 Les mots suivants, sauf un, ont un point commun : lequel ? Expliquez leur sens et éliminez l'intrus.

supplément • subordonné • succomber • insoumis • suburbain • soupir • subir • souper • soupçon

11 Sens propre, sens figuré

Formé du préfixe sub- et du verbe cingo, is, ere, cinxi, cinctum, *ceindre*, au sens de « entourer avec une ceinture », le verbe succingere signifie littéralement retrousser un vêtement et le rouler en partie sous une ceinture, afin de le raccourcir (voir le Lare p. 84).
Un adjectif français en est directement issu : utilisez-le dans la phrase suivante et expliquez l'évolution du sens propre au sens figuré.

> Il a exposé son projet en peu de mots, de manière ... .

L'arbre à mots

12 Les mots suivants, sauf un, sont les fruits de l'arbre à mots : retrouvez l'intrus.
géniteur • ingénieux • Théogonie • génétique • généreux • généalogie • Genèse • Génie • ingénieur • cosmogonie • polygone • générations • gens • gentil • générique • général

13 Complétez les phrases avec des mots de l'exercice **12**.
1. Pour les Romains, chaque individu est accompagné par un ..., une sorte de petit dieu qui veille sur lui dès sa naissance.
2. Le nom neutre ingenium désigne l'ensemble des dons naturels qu'un individu reçoit à la naissance. Il signifie aussi « talent, intelligence ». En français, on le retrouve dans l'adjectif ... et dans le nom ... .
3. Un ensemble de mythes qui racontent l'origine de l'univers s'appelle une ... .
4. Le poète grec Hésiode (VIIIe siècle avant J.-C.) a composé la ..., un poème qui établit la ... des dieux dont plusieurs ... se sont succédé.
5. Le premier livre de la Bible qui raconte la création du monde est appelé la ... .
6. Au Moyen Âge, l'adjectif ... signifie « noble de naissance », aujourd'hui c'est un synonyme d'*agréable*. De même, l'adjectif ... qualifie à l'origine celui qui est bien né et manifeste de nobles sentiments, aujourd'hui il s'applique à quelqu'un qui est toujours prêt à donner.

14 « Je viens directement du nom ingenium. J'ai gardé ses deux premières syllabes, mais j'ai changé le *i* en *e* et le *e* en *i*. J'ai d'abord signifié l'intelligence rusée, aujourd'hui je suis synonyme de *machine*. **Qui suis-je ?** »
Le nom _ _ _ _ _ (5 lettres)

en latin
gens, gentis, f.
race, famille
genitor, oris, m.
celui qui est à l'origine, créateur

en grec
γένεσις
(génésis)
force productrice, source de vie, création

χοσμογονία
(cosmogonia)
origine du monde
Θεογονία
(théogonia)
origine des dieux, naissance des dieux

racine GEN- / GON-
idée de faire naitre
genus, eris, n. : *origine, naissance, espèce*

Le foyer, ses divinités et ses rites

Chef de la famille et du culte domestique, le paterfamilias doit honorer l'ensemble des divinités protectrices de la maison selon des rites transmis de génération en génération.

①

Les divinités et les rites

Déesse du foyer, Vesta protège le feu sacré, dont la flamme doit bruler en permanence car elle représente le pouvoir des dieux et l'unité de la famille. Chargés du penus (garde-manger), les dii Pénates (dieux Pénates) sont les deux associés directs de Vesta. Ils veillent à l'approvisionnement, l'un en nourriture, l'autre en boisson, au confort et à la prospérité de la famille. Ils se déplacent avec elle, si elle change de demeure.

Le Lar (Lare), dont le nom signifie *chef* (*lars*) en étrusque, fut d'abord un dieu protecteur des récoltes. Devenu le gardien principal de la maison, il lui reste attaché, même si la famille la quitte. Tunique retroussée, il verse en dansant du vin avec un rhyton (vase en forme de corne terminée en animal). À l'époque impériale, il apparait dédoublé sur l'autel qui lui est dédié, le lararium (laraire, p. 83).

Représentées par des statuettes, les divinités du foyer sont honorées par des prières et des offrandes quotidiennes : de l'encens, des céréales, des libations (vin, huile, lait) versées avec une patère (coupe évasée), des couronnes de fleurs ou de laine, ainsi qu'une partie de la nourriture servie à table. Dans les grandes occasions, le paterfamilias leur sacrifie des truies ou des agneaux. Il entretient la flamme sacrée dans le lararium, décoré de fleurs trois fois par mois, et s'il doit s'absenter pour longtemps, il peut en emporter un « modèle réduit », sous forme d'un petit autel portatif. Le jour de leur majorité, les jeunes Romains accrochent leur bulla (le collier qu'ils portent depuis leur naissance) au cou du Lare familial ; les jeunes filles lui abandonnent leur poupée la veille de leur mariage.

②

❶ Identifiez les objets que tient la statuette (doc. ②). Que symbolisent-ils ?

❷ Un point important distingue le culte des Pénates de celui des Lares : lequel ?

❸ Que signifie l'expression « regagner ses pénates » ?

❹ En quoi consiste une libation ? Quel objet caractéristique de cette cérémonie retrouvez-vous sur les documents ①, ② et ③ ?

••Le *Genius*

En plus des divinités du foyer, les Romains honorent leur Genius (génie). C'est une sorte de petit dieu personnel, un compagnon intime qui nait avec chaque homme et disparait avec lui. Ils le célèbrent tout particulièrement le jour de leur anniversaire. Sur les laraires, le Genius du maitre de maison est représenté en train de faire une libation, en toge de cérémonie, la tête voilée, encadré par les Lares. De leur côté, les femmes ont une Juno, à l'image de la déesse Junon, leur protectrice.

❺ Nommez et décrivez l'édifice (doc. ①) : à quoi ressemble-t-il ? Qui sont les trois figures représentées sur la fresque ?

❻ Décrivez la statuette (doc. ③) : de quelle figure de la fresque la rapprochez-vous ? Qui est ainsi représenté ?

③

••Les *dii Manes*

④

À une période très ancienne de leur histoire, les Romains ensevelissaient les défunts de la famille dans le sol même de leur maison. Ils croyaient que leurs âmes habitaient ainsi avec eux sous la forme d'esprits familiers, nommés dii parentes (dieux parents) et Manes (Mânes), un nom issu d'un vieil adjectif manus signifiant « bon, gentil ».

Considérés comme de « bons esprits » protecteurs, les Mânes sont honorés quotidiennement, en même temps que les autres divinités du foyer. Les effigies des ancêtres de la famille, grossièrement sculptées dans le bois ou la cire, ont une place dans le lararium. Sur les stèles funéraires, la coutume est d'inscrire les initiales D. M., soit deis (diis ou dis) Manibus, « pour les dieux Mânes », afin de rendre hommage aux défunts.

❼ Lisez et traduisez les deux mots sous le couple sculpté (doc. ④).

❽ Rendez sa légende à chaque document (①, ②, ③ ou ④).
Stèle funéraire d'un couple romain, IIe siècle, musées du Vatican, Rome • Laraire de la Maison des Vettii à Pompéi, Ier siècle • Pénate, statuette en bronze, IIIe siècle, British Museum, Londres • Génie faisant une libation, statuette en bronze, IIIe siècle, trésor de Weissenburg, Munich.

Pour aller plus loin

Les symboles chtoniens

> Un gros serpent, doté d'une crête et d'une barbe, en train de ramper sur le sol est peint sur le lararium. C'est une sorte de génie bienfaisant, nommé *Agathodaimon* (ἀγαθὸς δαίμων, « bon génie » en grec), un symbole chtonien qui représente les forces de la terre nourricière.

Cherchez ce qu'est un symbole dit *chtonien* et préparez un exposé illustré sur la figure du serpent dans diverses civilisations.

Chapitre 8 — Maitres et esclaves

Les sociétés antiques ont recours à une abondante main-d'œuvre, réduite en esclavage, dans tous les domaines d'activité.

Lecture

Qu'est-ce qu'un esclave ?

Τῶν δ' ὀργάνων τὰ μὲν ἄψυχα τὰ
δὲ ἔμψυχα [ἐστίν],
καὶ ὁ δοῦλος κτῆμά τι ἔμψυχον,
καὶ ὥσπερ ὄργανον πρὸ ὀργάνων
5 πᾶς ὑπηρέτης ἐστίν. [...]
ὁ γὰρ μὴ αὑτοῦ φύσει ἀλλ'
ἄλλου ἄνθρωπος ὤν, οὗτος φύσει
δοῦλός ἐστιν [...],
ἄλλου δ' ἄνθρωπος ὤν, κτῆμα
10 [ἐστίν], κτῆμα δὲ ὄργανον
πρακτικὸν καὶ χωριστόν [ἐστίν].

Ἀριστοτέλης, Πολιτικά.

Parmi les instruments de travail, les uns sont ▭▭,
les autres ▭▭,
et ▭▭ est une ▭▭, et en tant qu'ins-
trument de travail tout serviteur est devant les autres
5 ▭▭. [...]
En effet celui qui, par nature, ne s'appartient pas à lui-
même, mais appartient à un autre tout en étant ▭▭,
celui-là est par nature ▭▭ [...],
étant l'homme d'un autre, il est ▭▭, et
10 ▭▭ est un ▭▭ et qui
peut être vendu.

Aristote (384-322 avant J.-C.), *Politique*, I, 1253 b – 1254 a.

Vocabulaire pour traduire

> (ὁ) ἄνθρωπος, m. : homme
> (ὁ) δοῦλος, m. : esclave
> (τὸ) κτῆμά, n. : bien, propriété, objet
> ἄψυχος, ον : qui n'a pas le souffle de la vie, inanimé
> ἔμψυχος, ον : qui a le souffle de la vie, animé
> πρακτικός, όν : qui convient à l'action, efficace

Nunc dicam **agri** quibus rebus colan-
tur. Quas res alii dividunt **in duas
partes, in homines et adminicula
hominum**, sine quibus rebus **colere**
5 **non possunt ; alii in tres partes**,
instrumenti genus vocale, in quo
sunt servi, semivocale, in quo **sunt
boves**, mutum, in quo **sunt plaustra**.

Marcus Terentius Varro,
De re rustica, liber primus.

Je vais parler maintenant des moyens grâce auxquels
▭▭ sont cultivés. Ces moyens les uns les divisent
▭▭,
sans lesquels ▭▭ ;
5 ▭▭ le genre d'instrument qui parle,
dans lequel ▭▭, le genre qui émet des sons,
dans lequel ▭▭, le genre qui ne parle pas,
dans lequel ▭▭.

Varron (116-27 avant J.-C.),
De l'agriculture, I, 17.

(τὸ) ὄργανον, ου, n. • **instrumentum**, i, n. :
l'instrument de travail, le matériel, l'outillage

Le nom grec vient du nom neutre ἔργον, qui désigne le travail.
Le nom latin est formé sur la racine du verbe instruere (disposer,
ranger, bâtir), augmentée du suffixe -mentum.

Vocabulaire pour traduire

> adminiculum, i, n. : toute espèce d'appui, soutien, aide
> bos, *bovis*, m. ou f. : bœuf, vache
> plaustrum, i, n. : charrette
> servus, i, m. : esclave

Esclaves dans une exploitation agricole, mosaïque romaine, IIᵉ-IIIᵉ siècles, Metropolitan Museum of Art, New York.

Étymologie

a. Tous ces mots, sauf un, ont un point commun : lequel ? Éliminez l'intrus et donnez le sens de chacun d'entre eux.

orgue • organique • organisme • orgueil • organe • désorganiser

b. Que signifie l'adjectif souligné dans le groupe nominal « un fauteuil <u>ergonomique</u> » ? Quelle est son origine ?

c. Retrouvez les noms latins « outils » formés avec le suffixe -mentum à partir des verbes suivants, puis donnez le nom correspondant en français.

arguere (prouver) • alere (nourrir) • docere (informer) • ornare (embellir)

Comprendre le texte et l'image

1 Lisez à haute voix le texte grec et le texte latin.

2 Complétez la traduction des textes (mots en gras) à l'aide du vocabulaire.

3 Relevez les mots grecs et latins qui définissent les esclaves. Comment les esclaves sont-ils considérés ?

4 D'après Aristote, qu'est-ce qui fait la différence entre un homme libre et un esclave ?

5 D'après Varron, sur quoi est fondée la différence entre les trois « catégories » d'instruments utilisés dans les travaux agricoles ?

6 Quelle conception de l'homme et de sa dignité supposent ces définitions de l'esclavage ?

7 Décrivez la mosaïque. Que font les personnages ? Comment sont-ils vêtus ? Que voit-on en arrière-plan ?

8 Quelles « catégories » définies par Varron y retrouvez-vous ? Nommez-les en latin.

OBSERVER et REPÉRER

Histoire d'un esclave maladroit

1. a. Princeps Augustus apud amicum divitissimum cenabat.
L'empereur Auguste déjeunait chez un ami très riche.

b. Seneca philosophus principem Augustum apud amicum
divitissimum cenare tradidit.
Le philosophe Sénèque a raconté que l'empereur Auguste déjeunait
chez un ami très riche.

2. a. Ante cenam servus crystallinum <u>fregit</u>.
Avant le repas, un esclave a brisé un vase en cristal.

b. Dominus ante cenam servum crystallinum <u>fregisse</u> animadvertit.
Le maitre de maison remarque qu'avant le repas un esclave a brisé un vase
en cristal.

3. a. Domini jussu dispensator statim servum rapere debet.
Sur ordre du maitre, l'intendant doit aussitôt saisir l'esclave.

b. Dominus jubet dispensatorem statim servum rapere.
Le maitre ordonne que l'intendant saisisse aussitôt l'esclave.

Découvrez la fin de l'histoire p. 94, exercice 8.

Esclave en cuisine, fragment
d'un bas-relief, IIᵉ-IIIᵉ siècles,
Musée archéologique
de Trèves (Allemagne).

À l'oral

Éliminez la phrase qui ne
correspond pas à l'image.
a. Dispensator servum vinum
adferre jussit.
b. Servus dispensatorem vinum
adferre jussit.
c. Dispensator servum culinam
detergere jussit.

Observez l'infinitif et la proposition infinitive

1 **Phrases 1 a et b**

a. Combien de verbes avec leur sujet comptez-vous dans la
phrase **a** ? Relevez-les en français puis en latin.
b. Mêmes consignes pour la phrase **b**. Que constatez-vous ?
c. À quels modes sont les verbes en latin ? À quels cas sont
leurs sujets ?

2 **Phrases 2 a et b**

a. Relevez les différences entre les phrases **a** et **b**, en français
puis en latin.

b. Retrouvez la carte d'identité du verbe frango, puis
observez les formes soulignées : que constatez-vous ?
c. Relevez le sujet et le COD des formes verbales
soulignées. Que constatez-vous ?

3 **Phrases 3 a et b**

a. Combien de verbes avec leur sujet comptez-vous
dans chaque phrase ? Relevez-les en français puis
en latin.
b. Que constatez-vous ?

Faites le bilan

4 Recopiez le tableau et complétez-le avec les phrases et propositions qui
conviennent (en français et en latin).

	Phrase simple	Phrase complexe : principale et subordonnée	
	sujet + verbe	**Principale :** sujet + verbe	**Subordonnée :** sujet + verbe
Phrases 1	*En français*		
	En latin		
Phrases 2			
Phrases 3			

Écoutez les textes du
chapitre à cette adresse :
lienmini.fr/latin4-080

APPRENDRE

1 L'infinitif

▶ **L'infinitif est un mode non personnel :** la forme du verbe ne varie pas suivant la personne du sujet, mais selon le temps (présent, parfait) et la voix (actif, passif).

▶ **L'infinitif présent actif** est formé avec le suffixe **-re** (**-se** pour sum et ses composés) ajouté au **radical du présent**.

▶ **L'infinitif parfait actif** est formé avec le suffixe **-isse** ajouté au **radical du parfait**.

amo, as, are, avi, atum

radical du présent : ama- → amare
radical du parfait : amav- → amavisse

sum, es, esse, fui

radical du présent : es- → esse
radical du parfait : fu- → fuisse

▶ L'infinitif peut être utilisé comme un nom neutre, **sujet** ou **COD** du verbe.

Errare humanum est.
Se tromper est humain.

Servus **parere** debet.
L'esclave doit **obéir**.

Dominus jubet **dispensatorem** servum **rapere**.
Le maitre ordonne **que l'intendant** saisisse l'esclave.

Attention : le sujet du verbe de la proposition infinitive étant à l'accusatif, il ne faut pas le confondre avec le COD.

2 La proposition subordonnée infinitive

▶ La proposition subordonnée infinitive complète directement un verbe exprimant :

la perception	la déclaration	l'opinion	la volonté
video, je vois [que]	dico, je dis [que]	puto, je pense [que]	jubeo, j'ordonne [que]

sujet, toujours exprimé, à l'**accusatif**

VERBE à l'**infinitif**

Dominus [servos culinam detergere] jubet.
Le maitre ordonne [que les esclaves nettoient la cuisine].

▶ Si le verbe est à l'**infinitif présent**, il indique que l'action de la proposition subordonnée se passe **en même temps** que l'action du verbe principal.

Dominus [servum crystallinum frangere] animadvertit.
Le maitre remarque [qu'un esclave brise un vase en cristal].

▶ Si le verbe est à l'**infinitif parfait**, il indique que l'action de la proposition subordonnée est **terminée** par rapport à l'action du verbe principal.

Dominus [servum ante cenam crystallinum fregisse] animadvertit.
Le maitre remarque [qu'un esclave a brisé un vase en cristal avant le repas].

Vocabulaire

> animadverto, is, ere, verti, versum : remarquer
> ceno, as, are, avi, atum : diner
> detergo, es, ere, tersi, tersum : nettoyer

> frango, is, ere, fregi, fractum : briser
> dives, vitis : riche
> princeps, *ipis*, m. : le prince, l'empereur
> servus, *i*, m. : l'esclave

↪ Voir Mémento **p. 158**

Exercices

EXERCICES **lienmini.fr/latin4-081**

Saisissez cette adresse dans votre navigateur pour accéder à des **exercices interactifs**.

Conjuguer

1 Recopiez la carte d'identité de chaque verbe et donnez la forme d'infinitif demandée.

dico (parfait) • scio (présent) • habeo (parfait) • possum (parfait) • comprehendo (présent) • inspicio (parfait) • rego (présent) • defero (parfait) • gigno (présent)

2 Donnez le temps de chacun de ces verbes à l'infinitif, puis traduisez-les.

movisse • abesse • cenare • docuisse • agitare • rexisse • deferre • fregisse • movere • adfuisse

3 Trouvez l'intrus dans chaque liste.

a. detersisti • docuimus • narraverunt • temptant • detulerunt

b. verberare • audire • orare • legisse • dicere

c. eum • ire • ei • eos • ejus

Reconnaitre la proposition infinitive

4 a. Recopiez chaque phrase et encadrez le verbe principal.

1. Servorum Romanorum vitam miseram fuisse legimus.

2. Servum non hominem esse saevi domini putabant.

3. Dominus jubebat servos dispensatori parere.

4. Ante cenam dominus servum fugisse animadvertit.

b. Mettez chaque proposition infinitive entre crochets et soulignez son verbe.

5 Aenigma

> Parva mihi domus est sed janua semper aperta.
> Furtiva rapina vivo sed felem timeo.

Sum : ○ *musca* ○ *mus* ○ *felis*.

Pour vous aider : un certain Mickey porte son nom.

Lire, comprendre, traduire

6 Lisez cette phrase puis traduisez-la oralement. Majores nostri dominum patrem familiae appellaverunt, servos familiares et domum pusillam rem publicam esse judicaverunt.

Sénèque, *Lettres à Lucilius*, XLVII, 14.

[majores nostri : nos ancêtres ; pusillus, a, um : tout petit, en miniature]

7 Suivez le guide et traduisez les phrases.

> ⟩ Repérez et traduisez le verbe principal.
> ⟩ Repérez le verbe et le sujet de la proposition infinitive.
> ⟩ Traduisez en respectant les indications données par le temps de l'infinitif.

1. Plinius in epistula narrat clarum praetorem dominum superbum ac saevum fuisse.

2. Miseros servos saepe eum verberavisse addit.

3. Servos autem tradit dominum interficere temptavisse, sed magnam partem eorum praetorem comprehendisse capiteque damnavisse.

[capite damnare : condamner quelqu'un à mort]

8 **Gradatim**

Voici la suite de l'histoire de la page 92 découpée en 4 étapes. Pour chaque étape, comparez les phrases **a.** et **b.**, puis traduisez la phrase **b.**

1. a. Dominus jubet dispensatorem servum murenis objicere.

  b. Deinde dominus jubet dispensatorem servum objicere ingentibus murenis (eas in piscina continebat).

2. a. Seneca tradit evasisse miserum servum.

  b. Seneca philosophus tradit evasisse miserum servum et ad principis pedes confugisse.

3. a. Addit principem servum misisse.

  b. Addit magnanimum principem miserum servum misisse dominique crudelitatem punire voluisse.

4. a. Dispensatorem crystallina frangere Augustus jussit.

  b. Itaque dispensatorem crystallina omnia frangere coram se piscinamque servos complere Augustus jussit.

9 **Sententia**

> Cogita et illum puerum esse et te fuisse.

(Pline le Jeune, *Correspondance*, IX, 12)

Choisissez la bonne traduction pour ce conseil que Pline adresse à un père à propos de l'éducation de son fils, puis apprenez par cœur cette maxime en latin.

a. Pense que lui, il est un enfant et que toi, tu l'as été.

b. Pense que lui, il est ton enfant et que toi, tu es son père.

c. Tu dois penser qu'il n'est plus un enfant et toi non plus.

Reconnaitre un suffixe

10 De nombreux noms latins sont formés avec le suffixe **-or** (**-rix** au féminin). Ajouté au radical d'un verbe donné par la forme appelée *supin* (p. 15), il sert à désigner celui ou celle qui fait l'action exprimée par ce verbe.

Par exemple, le nom dispensator désigne « celui qui distribue » le travail (l'intendant, p. 92).

> dispens**at**- + **-or**
> dispenso, as, are, avi, **at**um :
> partager, distribuer

Recopiez le tableau et remplissez-le avec ces mots en suivant le modèle.

orator • educatrix • delator • rector • agitator • defensor • actor • motor • spectator • sponsor • educator • generator • rectrix

Nom	radical + suffixe	Carte d'identité du verbe (dans le lexique)	Sens	Noms français correspondants
genitor genitrix	genit- + -or genit- + -rix	gigno, is, ere, genui, **genit**um	celui / celle qui fait naitre	géniteur génitrice
orator	...	...	...	...

11 a. Comment les mots suivants sont-ils formés ?
b. Retrouvez les verbes latins d'où ils sont issus et donnez le sens de chacun d'eux.

conducteur   institutrice   ascenseur
docteur   éditrice   auditeur
penseur   dictateur   narrateur   facteur

12 a. Cherchez ce que signifient les noms suivants.
b. Que retrouvez-vous ? Sous quelle forme ?

conquistador (espagnol)   elevator (anglais)   traduttore (italien)

13 Sens propre, sens figuré

Issu de labor, *laboris*, m., le nom *labeur* désigne la peine qu'on se donne pour accomplir une tâche ainsi que cette tâche elle-même. Au Moyen Âge, il a été concurrencé par le nom latin tardif tripalium, *ii*, n., qui désignait à l'origine un chevalet formé de trois (tri-) pieux (pali) pour immobiliser les grands animaux. Par la suite, celui-ci a été utilisé comme instrument de torture. De même, le verbe tripaliare a pris le sens de « torturer avec le tripalium ».

a. Quel nom et quel verbe français sont issus de tripalium et tripaliare ? Comment expliquez-vous le passage du sens propre au sens figuré ?
b. De quel verbe latin est issu le verbe *labourer* ? Quel était son sens au Moyen Âge ?

L'arbre à mots

14 Les mots suivants sont les fruits de l'arbre à mots : recopiez-les et encadrez leur radical.

prédominer • majordome • dominical • domestiquer • domination • domaine • domicile • dôme • domestique • domotique

15 Pour chacun des mots ou groupes de mots suivants, choisissez un synonyme dans les mots de l'exercice **14**.

1. habitation
2. propriété
3. suprématie
4. coupole
5. gestion informatique automatisée de l'habitat
6. serviteur
7. maitre d'hôtel
8. apprivoiser
9. prévaloir
10. qui concerne le dimanche (« le jour du Seigneur »)

16 « Je suis une petite plaque en os ou en ivoire divisée en deux parties gravées de zéro à six points noirs. Mon fond de bois noir rappelle le manteau à capuchon porté par les prêtres en hiver et mon nom vient sans doute de leur prière *Benedicamus Domino* ("Rendons hommage au Seigneur"). **Qui suis-je ?** »
Un _ _ _ _ _ _ (6 lettres)

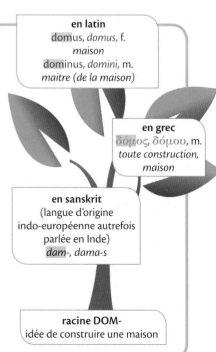

en latin
dom-us, *domus*, f.
maison
dom-inus, domini, m.
maitre (de la maison)

en grec
δόμος, δόμου, m.
toute construction, maison

en sanskrit
(langue d'origine indo-européenne autrefois parlée en Inde)
dam-, *dama-s*

racine DOM-
idée de construire une maison

Les esclaves dans le monde romain

La condition des esclaves varie considérablement d'une catégorie à l'autre et d'un maitre à l'autre.

Des « instruments » à tout faire

Les esclaves font partie de la familia (famille), c'est-à-dire de l'ensemble des personnes soumises à l'autorité du paterfamilias ou dominus (maitre). En ville, ce sont des domestiques à tout faire (ménage, cuisine, service, garde des enfants) ; les plus cultivés sont professeurs, médecins, architectes ou secrétaires, comme Tiron, l'esclave favori de Cicéron. À la campagne, les esclaves paysans et bergers ont une existence beaucoup plus dure. Les plus misérables sont ceux qui sont condamnés aux travaux forcés dans les carrières et les mines. L'État possède aussi des esclaves publics chargés de l'entretien de la cité.

① Bas-relief provenant de la nécropole de l'Isola Sacra près d'Ostie, IIe siècle après J.-C., Musée de la civilisation romaine, Rome.

❶ Citez les grands types d'activités exercées par les esclaves.

❷ Que font les esclaves représentés (doc. ①) ?

Une main-d'œuvre abondante

Même les familles les plus modestes ont au moins un esclave, les plus puissantes en ont jusqu'à plusieurs milliers sur leurs propriétés. Parmi eux, on trouve beaucoup d'enfants : nés de parents esclaves, ils sont automatiquement devenus esclaves. Les historiens modernes évaluent le nombre des esclaves entre 2 et 3 millions en Italie (35 à 40 % de la population) à la fin du Ier siècle avant J.-C.

Deux tiers d'entre eux, voire plus, travaillent dans les vastes exploitations agricoles qui assurent les revenus des riches citoyens de Rome. Certains sont enchainés dans des ergastula (ergastules) : des ateliers conçus comme des cachots, où ils dorment à même le sol. Jugés dangereux, ce sont des travailleurs de force très robustes : ils reçoivent des rations de pain et de vin plus abondantes que les autres esclaves.

À la tête du domaine se trouve le vilicus (intendant), esclave lui-même. Comme un officier dans une caserne, il dirige les travaux et veille au maintien de l'ordre, mais il est lui-même étroitement surveillé par le maitre (p. 97).

❸ Dans quel domaine économique les esclaves étaient-ils les plus nombreux ? Pourquoi certains sont-ils jugés dangereux ?

❹ Quelle racine grecque retrouvez-vous dans le nom ergastule (p. 90) ?

❺ Selon vous, quel âge ces esclaves ont-ils (doc. ② et ⑤) ? Quelles émotions leur visage semble-t-il exprimer ?

② Statuette provenant de Tarente (Italie), IIIe siècle avant J.-C.

••Maitres et esclaves : témoignages antiques

« Dès qu'il est arrivé dans sa maison de campagne, le maitre doit saluer le Lare familier, faire le tour de sa propriété et interroger son intendant sur ce qui a été fait, sur ce qui reste à faire. [...] Il mettra en vente les bœufs âgés, les veaux et les agneaux sevrés, la laine, les peaux, les charrettes et les outils usagés, les esclaves vieux ou malades, enfin tout ce dont il n'a plus besoin. [...] Tous les deux ans, on donnera aux esclaves une tunique et un manteau court de laine grossière. Chaque fois qu'on leur en donnera des neufs, on reprendra les vieux pour en faire des morceaux rapiécés. On leur fournira aussi tous les deux ans une bonne paire de souliers à semelles de bois. »

Caton l'Ancien (234-149 avant J.-C.), *De l'Agriculture*, 2 et 59.

③ Mosaïque romaine, IIe-IIIe siècles, Metropolitan Museum of Art, New York.

« Quand le maitre est à table, les malheureux esclaves n'ont pas le droit de remuer les lèvres, même pas pour parler. Le moindre bruit est puni du fouet ; et même la toux, un éternuement, le hoquet n'en sont pas dispensés. Toute la nuit, ils restent debout, sans manger, sans parler. [...] Et je ne dis rien de nos pratiques inhumaines et cruelles qui nous les font traiter non comme des hommes, mais comme des bêtes de somme. Quand nous sommes étendus pour manger, l'un nettoie les crachats, l'autre, à genoux, ramasse les vomissures des convives ivres. »

Sénèque (env. 4 avant J.-C.- 65 après J.-C.), *Lettres à Lucilius*, XLVII, 3-7.

④ Mosaïque romaine provenant de Carthage, IIe siècle après J.-C., musée du Louvre, Paris.

❻ Caton est resté célèbre dans l'histoire de Rome : pourquoi ? Selon lui, de quelles qualités doit faire preuve un bon maitre ? Comment doit-il traiter ses esclaves ? Pourquoi ?

❼ Quels comportements dénonce Sénèque ?

❽ Quels travaux accomplissent les esclaves (doc. ③ et ④) ? Comment sont-ils vêtus ? Pourquoi ?

Pour aller plus loin

PARCOURS CITOYEN

⑤ Statuette en bronze, IIe-IIIe siècles après J.-C., musée du Louvre, Paris.

Défendre la dignité de l'homme

> Dans une lettre à son ami Lucilius (*Lettres à Lucilus*, XLVII, 1), le philosophe Sénèque imagine un bref dialogue pour lui rappeler la dignité de l'homme dans l'esclave.

Lisez la lettre puis, à votre tour, imaginez un débat oral entre Sénèque et Lucilius.

MNE

Un **parcours** pour réfléchir sur les droits de l'Homme.

Dossier

De l'esclavage antique à l'esclavage moderne

L'asservissement de l'homme par l'homme s'est perpétué en Occident jusqu'au XIXᵉ siècle. Aujourd'hui encore, la pratique de l'esclavage subsiste dans certains pays.

Les pourvoyeurs d'esclaves

Depuis la plus haute Antiquité, la guerre est le premier « fournisseur » d'esclaves : tout prisonnier est systématiquement asservi à son vainqueur. Ainsi, en 168 avant J.-C., le général Paul Émile ramena à Rome un énorme butin, dont 150 000 esclaves, après la victoire de Pydna en Macédoine (p. 73), et Jules César vendit 53 000 Gaulois en une fois lors de sa campagne en Gaule en 57 avant J.-C.

Autres pourvoyeurs très actifs : les pirates (p. 53), qui multiplient les razzias en Méditerranée et écoulent leurs prises sur le marché de la petite île de Délos, dans les Cyclades (Grèce) ; on estime que jusqu'à 10 000 personnes pouvaient y être vendues en une seule journée.

Gustave Boulanger, *Le Marché aux esclaves*, gravure d'après un tableau, 1882.

Le marché

À Rome, c'est dans la rue Étrusque (vicus Tuscus), à l'angle sud du Forum, que les esclaves, exposés sur une estrade, s'achètent ou se revendent comme des animaux, généralement nus, pour que les clients puissent « apprécier concrètement la marchandise ». Le maquignon (mango, onis, m.) les propose aux enchères, par lots ou au détail : il les fait tourner, sauter, parler les uns après les autres. Parfois un écriteau pendu au cou de l'esclave indique son origine et ses caractéristiques. Les prisonniers de guerre portent une couronne. Le bonnet signale que « le produit n'est pas garanti » par le vendeur, les pieds blanchis à la craie une « importation » récente et « exotique ». Un crieur public proclame leur nom, leur « spécialité » et leur prix.

Photogramme du film *12 Years a Slave*, Steve McQueen, 2013. Le héros et d'autres esclaves sont mis en vente sur le port de la Nouvelle-Orléans.

Tandis que l'esclavage disparaissait progressivement en Europe, la colonisation du « Nouveau Monde » (l'Amérique) provoqua la déportation en masse des populations africaines. On estime qu'un million d'esclaves noirs furent vendus aux États-Unis entre 1790 et 1860 pour fournir la main-d'œuvre dans les plantations de coton des États du Sud.

❶ Décrivez la gravure (doc. 1). Quelles caractéristiques précises observez-vous (personnages, décor) ?

❷ Nommez en latin le personnage assis au bord de l'estrade (doc. 1). Que lisez-vous sur le mur ?

❸ Où se situe la scène (doc. 2) ? Quels points communs voyez-vous entre les documents 1 et 2 ?

❹ Quelle référence précise dans le texte d'Eutrope montre le traumatisme des Romains lors des évènements ?

Révoltes d'esclaves

Il arrivait que les maitres libèrent certains de leurs esclaves : une fois affranchis, ceux-ci continuaient souvent à vivre avec leurs anciens propriétaires, devenus leurs « patrons ». Mais la plupart des esclaves restaient toute leur vie dans la servitude. Quelques révoltes dites « serviles » (de servus, esclave) éclatèrent dans le monde romain : la plus célèbre est celle que mena Spartacus, esclave et gladiateur d'origine thrace, de 73 à 71 avant J.-C.

③ Spartacus (Kirk Douglas) à la tête de son « armée », photogramme du film *Spartacus*, de Stanley Kubrick, 1960.

> ## La guerre de Spartacus
> Soixante-quatorze gladiateurs brisèrent les portes de leur école à Capoue et s'enfuirent sous la conduite de Spartacus, Crixus et Œnomaüs. Ils se répandirent en Italie et y menèrent une guerre presque aussi terrible que celle d'Hannibal. En effet, ils vainquirent plusieurs généraux et deux consuls romains en même temps, puis rassemblèrent une armée de près de soixante mille hommes. Mais ils furent vaincus en Apulie par le proconsul Marcus Licinius Crassus : ce fut la fin de cette guerre qui avait infligé de nombreuses calamités à l'Italie pendant trois ans.
>
> **Eutrope** (IVe siècle), *Abrégé de l'histoire romaine*, VI, 6.

④ Estampe en couleur, XIXe siècle, musée de l'Armée, Paris.

Myriam Cottias évoque une autre figure marquante dans l'histoire de l'esclavage.
La révolte est indissociable de l'esclavage. Elle émaille son histoire. En France, la plus importante rébellion, celle des esclaves de Saint-Domingue, a été longtemps occultée. En 1788, ils représentent 89 % de la population de l'ile. Lors des États généraux de 1789, les affranchis de « la perle des Antilles » revendiquent l'égalité civile. Devenus quasiment aussi riches que les Blancs, ils subissent toujours des lois discriminantes […]. Les esclaves profitent de l'affrontement des « libres » pour se soulever en 1792. À leur tête, Toussaint Louverture, qui réclame l'autonomie. Les commissaires de la République choisissent d'abolir l'esclavage en 1793 pour garantir la production de sucre, cruciale pour l'économie. Puis la Convention étend cette décision à toutes les colonies en 1794. Mais Bonaparte la révoque en 1802, provoquant la révolution de Saint-Domingue et son indépendance sous le nom d'Haïti.

Myriam Cottias, directrice du Ciresc (Centre international de recherches sur les esclavages), entretien réalisé par Éric Pincas, paru dans *Historia*, numéro spécial n° 5, mai 2012.

❺ **Comparez les documents** ③ **et** ④. **Comment sont présentés les personnages ? Quels points communs voyez-vous ?**

❻ **Faites une recherche sur le personnage représenté sur le document** ④ **et résumez son histoire en quelques phrases.**

❼ **Qu'est-ce qui a fait de ces deux personnages (doc.** ③ **et** ④**) de véritables héros ? De quelle cause sont-ils restés les symboles ?**

❽ **Cherchez les dates de l'abolition définitive de l'esclavage en France et aux États Unis. Quand et par qui l'esclavage a-t-il été déclaré « crime contre l'humanité » ?**

Chapitre

9

L'amour et l'amitié

Les Romains ont une conception traditionnelle des relations amoureuses et amicales fondée sur les règles de la bienséance et de la discrétion.

Lecture

Un modèle d'amour conjugal

Admetus illud ab Apolline accepit, ut pro se alius **voluntarie** moreretur. Pro quo cum **neque pater neque mater** mori voluisset, uxor se Alcestis obtulit
5 et **pro eo vicaria morte interiit.** Postea Hercules ab Inferis eam revocavit.

Caius Julius Hyginus,
Fabulae, « Alcestis ».

Admète obtint cette faveur d'Apollon, que quelqu'un d'autre meure ▓▓▓▓▓ à sa place. Or, comme ▓▓▓▓▓▓▓▓▓ ne voulait mourir pour lui,
son épouse Alceste s'offrit et
5 ▓▓▓▓▓▓▓▓▓ .
▓▓▓▓▓▓▓▓▓▓▓▓ .

Hygin (67 avant J.-C.-17 après J.-C.),
Fables, « Alceste », LI, 3.

De amore conjugali
Legitimi amoris quasi quasdam **imagines non sine maxima veneratione** contemplandas **lectoris oculis** subji-
5 ciam, valenter **inter conjuges** stabilitae fidei opera percurrens, **ardua** imitatu, ceterum cognosci **utilia**, quia excellentissima animadvertenti ne mediocria quidem praestare rubori
10 oportet esse. […]
O te, **Thessaliae rex** Admete, **crudelis et duri facti** crimine **sub magno judice** damnatum, qui **conjugis tuae** fata pro tuis permutari passus es, eaque,
15 ne tu extinguerere, voluntario obitu consumpta lucem intueri potuisti, et certe **parentium** prius **indulgentiam** temptaveras !

Valerius Maximus,
Dicta factaque memorabilia, liber quartus.

▓▓▓▓▓▓▓▓▓▓▓
Je vais mettre ▓▓▓▓▓▓▓▓ pour ainsi dire certains ▓▓▓▓▓▓▓▓▓ qui méritent d'être contemplés ▓▓▓▓▓▓▓ ;
5 [je le ferai] en parcourant de manière expressive les actions ▓▓▓▓▓▓▓▓▓ , [des actions] ▓▓▓▓ à imiter, mais ▓▓▓▓ à connaitre, parce que celui qui constate les actes les plus éminents doit rougir de ne même pas accomplir des actes ordi-
10 naires. […]
Toi, Admète ▓▓▓▓▓▓▓ , te voilà condamné ▓▓▓▓▓▓▓ à cause de la faute ▓▓▓▓▓▓▓ , toi qui as accepté que le destin ▓▓▓▓▓▓ soit échangé avec le tien et, une
15 fois qu'elle a été anéantie par une mort volontaire, pour que toi tu ne meures pas, tu as pu regarder encore la lumière du jour, et en plus tu avais déjà essayé auparavant ▓▓▓▓▓▓ !

Valère Maxime(Ier siècle après J.-C.),
Des faits et des paroles mémorables, livre IV, 6, 1-2.

---

conjux, *ugis*, m. et surtout f. : l'époux, l'épouse

Formé à partir de la préposition cum et du nom jugum, *i*, n. (joug, la pièce de bois qui sert à atteler une paire d'animaux de trait), le nom conjux désigne ceux qui ont été unis par les liens du mariage, à l'image du couple d'animaux attelés.
Le verbe conjugo, as, are, avi, atum signifie *unir, marier*.

Vocabulaire pour traduire
> imago, *inis*, f. : portrait
> Inferi, *orum*, m. pl. : les Enfers
> vicarius, a, um : qui remplace, de substitution

Fresque pompéienne, Iᵉʳ siècle après J.-C., Musée archéologique de Naples.
La scène représente le moment où Admète, en présence de son épouse, accompagnée d'une servante, et de ses parents reçoit l'oracle d'Apollon qui lui annonce son destin.

Étymologie

a. Tous ces mots, sauf un, ont un point commun : lequel ? Éliminez l'intrus et utilisez chacun d'eux dans la phrase qui convient.

subjugué • conjonction • conjugaison • jongler • rejoindre

1. Le public a été … par le spectacle.
2. La … de ce verbe est difficile.
3. Le mot *mais* est une … de coordination.
4. Nous viendrons bientôt vous … .
b. Quel nom formé avec le suffixe -*ment* a d'abord désigné une bête de trait (surtout cheval, mulet, âne) puis la femelle du cheval ?

Comprendre le texte et l'image

1 Lisez à haute voix les textes latins.

2 Complétez la traduction (mots en gras) à l'aide du lexique.

3 Popularisée par une tragédie grecque (Euripide, *Alceste*, 438 avant J.-C.), la figure d'Alceste incarne l'amour conjugal : pourquoi ? Relevez le nom latin qui exprime une qualité très importante pour les Romains (p. 61).

4 Nommez l'époux d'Alceste : quels reproches lui sont adressés ? Relevez les deux adjectifs latins qui qualifient son attitude.

5 Identifiez tous les personnages sur la fresque. Qui est debout à l'arrière-plan ?

6 Décrivez les visages et les attitudes : quelles émotions expriment-ils ?

7 Quel geste de l'épouse manifeste précisément l'amour conjugal ?

Le participe, l'ablatif absolu

OBSERVER et REPÉRER

La princesse abandonnée

1. Ariadna, regis Cretae suavis filia, Theseum amabat. <u>Suavi puella adjuvante</u> Theseus Minotaurum interfecit exiitque e labyrintho.
Ariane, la douce fille du roi de Crète, aimait Thésée. <u>La douce jeune fille aidant</u> [avec l'aide de la douce jeune fille], Thésée tua le Minotaure et sortit du labyrinthe.

2. <u>Minotauro interfecto</u>, Theseus cum Ariadna insulam Cretam reliquit.
Le Minotaure ayant été tué [après la mort du Minotaure], Thésée quitta l'île de Crète avec Ariane.

3. Ad Naxum insulam <u>ventis adjuvantibus</u> navem adpulit.
Les vents aidant, il fit aborder son navire sur l'île de Naxos.

4. Ariadna <u>lassata</u> in litore accubuit, sed Theseus eam <u>cubantem</u> reliquit.
Fatiguée, Ariane se coucha sur le rivage, mais Thésée l'abandonna dormant [pendant qu'elle dormait].

5. Puella <u>relicta</u> et e somno <u>excitata</u> <u>lacrimans</u>que navem perfidi Thesei <u>decedentis</u> vidit.
La jeune fille abandonnée, réveillée de son sommeil et pleurant [en pleurs] vit le navire du perfide Thésée s'en allant [qui s'en allait].

Fresque provenant de la maison de Méléagre à Pompéi, Ier siècle après J.-C., Musée archéologique de Naples.

À l'oral

Choisissez les bons groupes de mots pour reconstituer la légende de l'image.
○ *Digito in navem directo*
○ *Digito in litus directo*
Ultionis dea [la déesse de la Vengeance]
○ *perfidum Theseum decedentem*
○ *puerum Amorem lacrimantem*
accusat.

Identifiez les participes et leur construction

❶ Phrase 1
a. À quel cas sont les éléments du groupe souligné ? Quel indice vous permet de répondre ?
b. Quel mot latin est traduit par *aidant* ? Comparez les deux formes : qu'ont-elles en commun ? Quelle est leur classe ?

❷ Phrase 2
a. Quel verbe retrouvez-vous dans le groupe souligné ? Lisez sa carte d'identité (vocabulaire p. 103) : à quelle forme rattachez-vous le mot que vous avez trouvé ?
b. À quel cas sont les éléments du groupe ?

❸ Phrase 3
a. Quel verbe retrouvez-vous dans le groupe souligné ? Sous quelle forme ? Précisez le cas et le nombre.
b. Proposez une autre traduction de ce groupe.

❹ Phrases 4 et 5
À quels verbes (p. 103) rattachez-vous les formes soulignées ? À quels noms se rapportent-elles ? Précisez le cas et le genre.

Faites le bilan

❺ Choisissez les propositions qui conviennent.
a. En latin, les formes du verbe appelées ○ *participe* ○ *infinitif* sont utilisées comme des ○ *adjectifs* ○ *adverbes* : elles ○ *s'accordent* ○ *ne s'accordent pas* en genre, nombre et cas avec le nom auquel elles se rapportent.
b. En latin, les formes du verbe appelées *participe* sont formées sur la base du radical *du présent* ou ○ *du parfait* ○ *du supin*.

Écoutez les textes du chapitre à cette adresse :
lienmini.fr/latin4-090

APPRENDRE

1 Le participe

▶ **Le participe est un mode non conjugué** : la forme du verbe fonctionne comme un adjectif s'accordant en genre, en nombre et en cas avec le nom auquel il se rapporte.

▶ Le participe présent actif est formé à partir du radical du présent. Il se décline sur le modèle ingens, ingentis (3e déclinaison).

> Le participe présent du verbe **eo**, is, ire est **iens, euntis** (allant). On le retrouve dans ses composés.
>
> Videmus Theseum e labyrintho **exeuntem**.
> Nous voyons Thésée **sortant** du labyrinthe.

▶ Le participe parfait passif est formé à partir du **radical du supin**. Il se décline sur le modèle bonus, a, um (1re et 2e déclinaisons).

> Le latin utilise beaucoup les participes ; en français on les traduit souvent par d'autres constructions.
>
> Ariadnam **cubantem** : Ariane **dormant** → **pendant qu'elle dormait** *ou* **en train de dormir** (*cf.* l'anglais *sleeping*)

---

adjuvo, as, are, juvi, jutum

radical du **présent** : adjuva-

participe présent actif : adjuvans, -antis

Ariadna Theseum **adjuvans** regis Cretae filia est.
Ariane **aidant** [qui aide] Thésée est la fille du roi de Crète.

adjuvo, as, are, juvi, jutum

supin : adjutum

participe parfait passif : adjutus, a, um

Theseus ab Ariadna **adjutus** Minotaurum interficit.
Thésée **ayant été aidé** [qui a été aidé] par Ariane tue le Minotaure.

2 L'ablatif absolu

▶ On appelle ablatif absolu un groupe indépendant, comme détaché du reste de la phrase. Il est **composé d'un nom et d'un participe, tous les deux à l'ablatif.**

Nom à l'**ablatif**, sous-sujet du participe, toujours différent du sujet du verbe principal

Participe qui s'accorde en genre, en nombre et en cas (ablatif) avec le sujet

Vento **adjuvante**, navis decessit.
Le vent, **aidant** [avec l'aide du vent], le navire s'éloigna.

▶ Avec **un participe présent actif**, l'ablatif absolu exprime une action qui se passe **en même temps** que celle du verbe principal.

Ariadna lacrimante, Theseus Naxum insulam reliquit.
Ariane pleurant [tandis qu'Ariane pleurait], Thésée quitta l'île de Naxos.

▶ Avec **un participe parfait passif**, il exprime une action qui s'est passée **avant** celle du verbe principal.

Minotauro interfecto, Theseus Cretam relinquit.
Le Minotaure ayant été tué [après la mort du Minotaure], Thésée quitte la Crète.

Vocabulaire

> adjuvo, as, are, juvi, jutum : aider
> cubo, as, are, ui, cubitum : être étendu sur un lit, dormir
> decedo, is, ere, cessi, cessum : s'éloigner de, s'en aller (avec de, ex ou ablatif seul)
> dirigo, is, ere, rexi, rectum : diriger

> excito, as, are, avi, atum : faire sortir, tirer de
> interficio, is, ere, feci, fectum : détruire, tuer
> lacrimo, as, are, avi, atum : pleurer
> lasso, as, are, avi, atum : lasser, fatiguer
> relinquo, is, ere, liqui, relictum : quitter, abandonner

Exercices

EXERCICES lienmini.fr/latin4-091

Saisissez cette adresse dans votre navigateur pour accéder à des **exercices interactifs**.

Conjuguer

1 **a.** Formez le participe présent de ces verbes aux cas, genre et nombre demandés.

devorare (**N.** n. sg.) • decedere (**Acc.** f. sg.) • adjuvare (**Abl.** m. pl.) • amare (**G.** f. pl.) • terrere (**Acc.** n. pl.) • exire (**D.** m. sg.) • lacrimare (**D.** f. sg.) • spectare (**G.** m. sg.)

b. Associez chacun des noms suivants au participe qui convient.

puellae • civis • somnia • navem • deis • filiarum • viro • monstrum

2 **a.** Formez le participe parfait passif de ces verbes aux cas, genre et nombre demandés.

interficere (**Acc.** n. pl.) • relinquere (**Acc.** f. sg.) • amare (**D.** m. pl.) • colere (**G.** m. pl.) • adpellere (**G.** f. sg.) • excitare (**Abl.** f. sg.) • dirigere (**Abl.** m. sg.) • spectare (**N.** f. pl.)

b. Associez chacun des noms suivants au participe qui convient.

agrorum • puella • digito • navis • monstra • deae • viris • insulam

Reconnaitre l'ablatif absolu

3 **a.** Lisez à haute voix les groupes de mots latins formant un ablatif absolu.

b. Retrouvez la traduction de chaque groupe.

c. Retrouvez le participe dans chaque groupe. Lesquels sont au présent ?

aperto libro ●	● le tour ayant été changé
flagrante delicto ●	● à l'endroit cité
vice versa ●	● à livre ouvert
mutatis mutandis ●	● au signal donné
cessante causa ●	● une fois changé, ce qui doit être changé
opere citato ●	
expressis verbis ●	● en toutes lettres
signo dato ●	● la cause cessant
	● en flagrant délit

4 Aenigma

Ego Minervaque dea telam texentes certavimus.
Nulla mihi manus est, pedibus autem omnia facio.

Sum : ○ *aranea* ○ *vipera* ○ *apis*.

Lire, comprendre, traduire

5 **a.** Remplacez les deux phrases par une seule, selon le modèle.

Ariadna cubavit. Theseus Ariadnam reliquit.
→ Theseus Ariadnam cubantem reliquit.

b. Traduisez la phrase que vous avez obtenue.
1. Puella lacrimabat Theseusque decedebat. Puella Thesei navem videbat.
2. Puer Amor lacrimat cum Ariadna. Videmus puerum Amorem.

6 Même consigne que l'exercice **5**.

Theseus Minotaurum interfecit. Theseus insulam Cretam relinquit.
→ Minotauro interfecto, Theseus insulam Cretam relinquit.

1. Ariadna Theseus adjuvavit. Theseus e labyrintho exit.
2. Dea in navem digitum direxit. Dea perfidum Theseum accusat.

7 Suivez le guide et traduisez les phrases.

> › Repérez les verbes principaux et leur sujet.
> › Repérez les verbes à l'infinitif et au participe : identifiez leur construction.
> › Traduisez en commençant par le groupe sujet + verbe principal.

Zeuxis, clarissimus peritissimusque pictor, Athenis vivebat. In *Naturalis Historiae* libris, Plinius tradit eum pinxisse puerum uvas tenentem. Uvae autem verae videbantur [paraissaient]. Itaque ad uvas multae aves advolaverunt. Omnibus spectatoribus picturam laudantibus, pictor tamen iratus erat et uvas delevit. « Uvas, ait [dit-il], melius pinxi quam puerum quia [puisque] aves eum non timent. »

8 **Sententia**

Amor, ut lacrima,
ab oculo oritur,
in pectus cadit.

... comme
... vient ...,
tombe ... .

(Publilius Syrus, *Sentences*)

Complétez la traduction et apprenez par cœur cette maxime en latin.

Reconnaitre une préposition, un préfixe

9 La préposition de + Abl. signifie « à partir de » (séparation et éloignement) ; elle sert de préfixe dans la composition de nombreux mots latins.
→ **De** caelo Cupido **de**scendit.
Cupidon descend du ciel.

a. Par euphémisme, on emploie souvent un verbe formé avec le préfixe **de-** comme synonyme de *mourir*. Quel est ce verbe ? De quel verbe latin est-il issu ?

b. Expliquez ce qu'est un euphémisme.

10 Formé sur le verbe caedere (frapper, fendre), le verbe decido, is, ere, cisi, cisum signifie « détacher en coupant, trancher ».

a. Dans quel verbe et quel nom français le retrouvez-vous ?

b. Expliquez le sens de ces derniers mots par rapport à leur origine.

11 Très utilisé pour exprimer la force de l'amour (voir Pline p. 113), le nom desiderium, *ii*, n. (besoin, regret) exprime à la fois l'envie de voir la personne aimée et la souffrance due à son absence. De même, le verbe desiderare signifie *rechercher* et *regretter*. Ils sont formés sur le nom sidus, *eris*, n. (p. 35).
Expliquez leur sens par rapport à cette origine.

12 Le verbe detero, is, ere, trivi, tritum signifie « user en frottant ».

a. Quel nom français synonyme de *débris*, *ordure* en est directement issu ?

b. Quel radical du verbe latin reconnaissez-vous précisément ?

c. Expliquez le sens de ce nom par rapport à son origine.

> Utilisez le site du **CNRTL** (Centre national de ressources textuelles et lexicales) pour vos recherches.
> **www.cnrtl.fr/portail**

13 Sens propre, sens figuré

La racine indo-européenne *neb- exprime l'idée de « ce qui couvre le ciel ». On la retrouve dans le nom nubes, *is*, f. (nuage, νέφος, n., en grec) et le verbe nubo, is, ere, nupsi, nuptum (couvrir, voiler). Ce verbe s'applique particulièrement à la femme qui se voile pour la cérémonie du mariage, d'où le sens de *se marier* employé avec le datif.

a. Complétez les expressions avec des mots de la famille de nubes et nubere.

> tomber de haut
> → tomber des …

> le groupe qui suit les mariés
> → le cortège …

> la fille en âge d'être mariée
> → la jeune fille …

b. Comment dit-on « la mariée » en espagnol ?

c. Quelle racine retrouvez-vous dans les noms nimbus, *i*, m. (nuage de pluie) et nebula, *ae*, f. (brouillard) ? Quels noms français en sont issus ?

titiant, *ils font ti-ti*

14 a. Lisez les titiata (tweets) écrits par huit personnages légendaires.

b. Rendez à chacun l'ablatif absolu # qui lui convient.

Urbe Troia capta,

Monstro in labyrintho interfecto,

Graecis in urbe Troia pugnantibus,

Navibus Trojanorum abeuntibus,

Regina Punicorum relicta,

Puella in vinculis conjecta,

Puella adjuvante,

Monstro in mari interfecto,

c. Complétez l'adresse @ avec son nom latin. Attention ! Il y a deux intrus.
Penelope • Dido • Daphne • Andromeda • Theseus • Ulixes • Apollo • Perseus • Ariadna • Aeneas

d. Associez les personnages par couple en donnant leur nom en latin et en français.

1. @… #, e labyrintho exii.

2. @… #, monstrum in mari interfeci.

3. @… #, juvenis me reliquit.

4. @… #, juvenis me liberavit.

5. @… #, ad Italiam navigavi.

6. @… #, conjugem meum exspecto.

7. @… #, in insulam meam redii.

8. @… #, me gladio interficere volo.

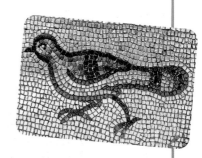

L'amour, ses codes et ses liens

Dans la vie quotidienne, les relations familiales et sociales sont souvent fondées sur un « attachement » amoureux ou amical, exprimé par le nom *vinculum* qui désigne précisément tout ce qui sert à « attacher » (*vincire*), du fil le plus fin à la chaine du prisonnier.

·····Le lien amoureux

L'amour est l'un des thèmes favoris des poètes grecs et romains. Tous s'accordent pour célébrer son pouvoir primordial, invincible, qui « enchaine » les hommes et les dieux pour les conduire au plaisir le plus intense comme à la folie la plus destructrice.

En grec, le verbe ἐρᾶν et le nom ἔρως, ωτος (m.) désignent l'acte d'aimer et le désir lié à l'amour, au sens concret et physique. En latin, le verbe *cupere* et le nom *cupido, inis,* f. ont le même sens. Les noms propres Ἔρως et Cupido désignent donc l'Amour, considéré comme un dieu, fils d'Aphrodite/Vénus. Le plus souvent personnifié sous les traits d'un petit garçon ailé, il est muni des attributs du chasseur : un arc, un carquois et des flèches.

① Fresque pompéienne (détail), Ier siècle après J.-C., Musée archéologique de Naples.

❶ **Quels sont les attributs de l'Amour ? À votre avis, que symbolisent-ils ? Citez des mots français issus du nom *Amour* en grec et en latin.**

❷ **Identifiez les trois personnages de la fresque (doc. ①).** Un indice : on y voit un fils et sa mère, une déesse et son amant.

·····Le lien conjugal

Considéré comme un danger, l'amour n'est pas ce qui fonde le mariage : les couples légitimes se forment le plus souvent sur l'intérêt qui pousse deux familles à s'unir et sur la décision des parents. Dans la Rome antique, l'âge légal du mariage est de 12 ans pour les filles, 14 pour les garçons. Mais ceux-ci se marient en général vers la trentaine. La tradition et la bienséance leur imposent une nécessité fondamentale : avoir des enfants pour assurer la transmission du patrimoine.

② Cérémonie de mariage sur un sarcophage, env. 280 après J.-C., musée Massimo, Rome.

❸ **En quoi les conceptions antique et moderne du mariage sont-elles différentes ?**

❹ **Sur le sarcophage (doc. ②), les mariés procèdent au rite appelé *dextrarum junctio* : de quoi s'agit-il ? Que symbolise le feu devant eux ?**

❺ **Derrière eux se trouve la déesse protectrice du mariage : donnez ses noms grec et latin.** Un indice : elle est l'épouse du roi des dieux.

••Le lien amical

Pour les Romains comme pour les Grecs, le seul véritable « attachement » digne d'un homme libre et d'un sage maitre de lui-même est cette forme d'amour qu'ils nomment φιλία et amicitia. Elle occupe une grande partie du temps que les citoyens aisés consacrent à cultiver leur esprit : la conversation, nourrie de débats littéraires, philosophiques et politiques, comme l'échange de lettres entre amis sont des plaisirs réservés à une élite distinguée.

De amicitiae vinculo

Considérons maintenant l'amitié, ce lien si puissant et dont la force n'est en rien inférieure à celle du lien du sang ; il est même plus solide et plus assuré du fait même qu'il n'est pas comme lui le résultat de la naissance et du hasard, mais qu'il se forme, après mûre réflexion, par le libre choix de la volonté.

Valère Maxime, *Des faits et des paroles mémorables*, livre IV, 6, 1-2.

③ Lawrence Alma-Tadema (1836-1912), *La conversation*, collection de Fred et Sherry Ross.

❻ Traduisez le titre de l'extrait. Quel verbe latin retrouvez-vous dans amicitia ? Pourquoi est-elle considérée comme le lien le plus puissant ?

❼ Le nom φιλία **est issu du verbe** φιλεῖν**, aimer (sans le désir physique). Que signifie le nom *philanthrope* ? Comment est-il formé ? Citez d'autres mots formés avec le même préfixe.**

❽ Décrivez la scène imaginée par Alma-Tadema (doc. ③) : où se passe-t-elle ? Quel aspect de la vie romaine illustre-t-elle ?

••Retenue et pudeur

Dans leurs relations affectives, les Romains sont toujours préoccupés par le souci de contrôler leurs sentiments : selon les codes de conduite traditionnels, hommes et femmes doivent éviter tout excès pour toujours rester dignes et respectables. En conséquence, même si leur union est fondée sur un amour partagé, les époux ne manifestent pas leur affection en public.

Caton l'Ancien exclut Manilius du Sénat, alors qu'on s'attendait à le voir élire consul. Il lui reprochait d'avoir embrassé sa femme en plein jour devant leur fille. « Moi, déclara-t-il, ma femme ne m'a jamais embrassé, sauf par grand orage », et il expliqua pour plaisanter combien il était heureux quand Jupiter tonnait.

Plutarque (env. 46-125), *Vie de Caton l'Ancien*, XVII, 7.

❾ Pourquoi les Romains n'extériorisent-ils pas leurs sentiments ? Que savez-vous des jugements de Caton l'Ancien ? (p. 97)

APPRENTI ARCHÉOLOGUE

De nombreux graffitis ont été découverts sur les murs de Pompéi.

➡ **Déchiffrez celui-ci en assemblant les pièces du puzzle et traduisez-le.**

apes

ut

mellitam

vitam

exigunt

amantes

Sentiments et émotions : la colère

Comme les Grecs, les Romains se méfient de la violence des sentiments et des émotions qui font perdre à chacun son contrôle sur soi-même. Ils redoutent en particulier les effets de la colère, dénoncés par les poètes et les philosophes.

Un héros en colère

Un très illustre et très ancien poète grec entreprend le récit d'une guerre mythique.

Μῆνιν	ἄειδε	θεά,	Πηληϊάδεω	Ἀχιλῆος
↓	↓	↓	↓	↓
Mènin	*aeide,*	*Théa,*	*Pèlèiadéô*	*Achilèos*
[Cette] colère	chante [-la],	déesse, [celle]	du fils de Pélée	Achille

οὐλομένην,	ἣ	μυρί᾽	Ἀχαιοῖς	ἄλγε᾽	ἔθηκε,
↓	↓	↓	↓	↓	↓
ouloménèn,	*è*	*muri'*	*Achaïoïs*	*algué'*	*ethèké*

terriblement destructrice, qui a apporté aux Achéens des douleurs par milliers, qui a envoyé chez Hadès tant d'âmes de héros courageux ! Leurs corps ont servi de nourriture aux chiens et à tous les oiseaux de proie sur le champ de bataille. Mais c'était la volonté de Zeus qui s'accomplissait jusqu'au bout. Il faut commencer par le jour où ils se sont disputés, l'Atride, le chef des guerriers, et le divin Achille.

Un célèbre poète latin donne des conseils contre les dangers de la colère.

Ira furor brevis est. Animum rege, qui nisi paret, imperat, hunc frenis, hunc tu compesce catena. Fingit equum tenera docilem cervice magister ire viam qua monstret eques.

La colère est une courte folie. Maitrise les mouvements de ton esprit, s'ils ne t'obéissent pas, ils te dominent, mais, toi, retiens-les en leur mettant des rênes, une chaine. Le maitre dresse le cheval à l'encolure encore malléable pour qu'il suive docilement le chemin que le cavalier lui montre.

Un maitre vénérable met à son tour en garde un jeune disciple dans un film américain très célèbre sur une guerre spatiale devenue, elle aussi, mythique.

« Fear is the path to the dark side. Fear leads to anger. Anger leads to hate. Hate... leads to suffering. »
Et s'il le disait en latin ?
Pavor in atri lateris viam ducit. Pavor in iram ducit. Ira in odium ducit. Odium... in dolorem ducit.

❶ **Rendez à chaque document (①️ à ⑧️) ses références.**

Horace, *Épitres*, I, 2, vers 62-65

Sénèque, *Traité sur la colère*, I, 1

Maitre Yoda à Anakin Skywalker dans le film de George Lucas, *Star Wars, épisode I : La menace fantôme* (1999)

Portrait d'Achille (fresque)

Homère, *Iliade*, vers 1-7

Dessin et commentaire de Charles Le Brun, « Expressions des passions de l'âme », 1727

Portrait d'Anakin Skywalker (film)

Achille se séparant de Briséis, fresque de l'atrium de la maison du Poète tragique à Pompéi, Ier siècle, Musée archéologique de Naples

L'expression physique de la colère

○ **Quidam e sapientibus viris iram dixerunt brevem insaniam.**
Quelques sages ont défini la colère comme une courte folie.
[…] Pour te convaincre que les hommes possédés par la colère ne sont plus sains d'esprit, observe leur façon d'être : de fait, un air audacieux et menaçant, un front renfrogné, une physionomie farouche, une démarche précipitée, des mains qui tremblent, un teint qui change de couleur, une respiration accélérée, plus forte, sont les signes manifestés par les fous furieux, or ce sont bien les mêmes que montrent les hommes en colère. Les yeux s'enflamment et étincèlent, une abondante rougeur due au sang bouillonnant venu du fond de la poitrine se répand sur le visage, les lèvres tremblent, les dents se serrent, les cheveux se dressent et se hérissent, la respiration devient forcée et stridente, les articulations mêmes se tordent. L'homme en colère gémit, il rugit, ses paroles à peine intelligibles s'interrompent ; ses mains se mettent à battre plus souvent, ses pieds trépignent sur le sol, tout son corps est agité ; il profère de grandes menaces : hideux et repoussant spectacle, indigne d'un homme qui se gonfle et se déforme. Tu ne saurais dire si ce vice rend plus odieux que difforme.

MNE — Une **étude d'œuvre** sur cette fresque. PEAC

Expression des passions de l'âme : la colère aigüe
Les effets de la colère en font connaitre la nature. Les yeux deviennent rouges et enflammés ; la prunelle égarée et étincelante ; les sourcils tantôt abattus, tantôt élevés également ; le front très ridé ; des plis entre les yeux ; les narines ouvertes et élargies ; les lèvres se pressant l'une contre l'autre, l'inférieure surmontant la supérieure, baisse les coins de la bouche un peu ouverts, formant un ris cruel et dédaigneux.

❷ Lisez à haute voix les deux vers en grec (doc. ②). Quel est le premier mot du poème ? Expliquez son importance.

❸ Qui sont les Achéens (doc. ②) ? Qui est leur chef, ici désigné par « l'Atride » ? Observez la fresque (doc. ①) et cherchez ce qui a provoqué la colère du héros. Quelles ont été les conséquences de cette colère ?

❹ Traduisez les paroles données en anglais et en latin (doc. ⑥) et comparez-les avec les vers du poète latin (doc. ④). Pourquoi faut-il éviter la colère ?

❺ Quelle métaphore le poète latin a-t-il choisie pour illustrer son point de vue (doc. ④) ?

❻ Relevez tous les effets de la colère sur l'individu décrits par le philosophe latin (doc. ⑦). Lesquels retrouvez-vous dans le commentaire de la gravure (doc. ⑧) ?

❼ Comparez les trois portraits (doc. ③, ⑤, ⑧). Quels points communs relevez-vous ?

❽ **Bilan** Organisez un débat en classe sur la question suivante : « Comment maitriser sa colère ? »

Atelier de traduction

• Un amour dans la pierre

Dédiée à un couple dont l'identité n'est pas mentionnée, cette stèle funéraire a été découverte en 1994 sur le site de la colonie romaine de Dion, en Macédoine. Datée du Iᵉʳ ou IIᵉ siècle, elle offre un cas très rare où l'inscription, particulièrement soignée, sert de légende au décor sculpté.

1

> SVB DEXTRAM VXORIS SCVLPTVM
> NABILIVM FACIT QVIA SEMPER MVSIS
> CVPIDA DVM VIXIT FVIT

2

> VIRI SVB DEXTRAM CLAVEM
> QVIA SCVLPTAM FACIT
> TABVLARIVM TRACTAVIT
> SVMMA CVM FIDE

Stèle en marbre (H. : 76 cm, L. : 57 cm, P. : 15 cm),
Musée archéologique de Dion (Grèce).

3 L'inscription est difficile à lire : elle est gravée sur la représentation d'un rouleau de papyrus dont l'enroulement même la cache en partie. La voici reconstituée :

> Hac re conjunctae sunt manus dextrae duae, uxor fidelis quia fuit semper viro, viro autem conjux cara dum vixit fuit.

MNE

Un dossier pour lire une stèle, avec une **initiation à l'épigraphie**.

Lire une inscription

1 Recopiez les inscriptions **1** et **2** en lettres minuscules, puis traduisez-les à l'aide du vocabulaire et du lexique.

Rappel : le latin ne distingue pas les graphies I / J et V / U.

2 Traduisez l'inscription **3**.

3 Décrivez les mains : quelle est la signification du geste ? Nommez-le en latin (voir p. 106).

4 Décrivez et identifiez les objets liés aux défunts : que symbolisent-ils ?

5 Quelle référence mythologique est associée à l'évocation de l'épouse ? Quel talent caractérise-t-elle ?

6 Quel est le métier du mari ?

Vocabulaire pour traduire

clavis, *is*, f. : clé • conjunctus, a, um : lié ensemble • cupidus, a, um : qui aime, qui est attaché à (+ D.) • dextra, *ae* (sous-entendu manus), f. : la main droite • dum : dans le temps que, pendant que • facit : le sujet est celui qui a fait faire la stèle (= le mari) • hac re : pour cette raison • Musae, *arum*, f. pl. : les Muses (qui incarnent tous les arts) • nabilium, *ii*, n. : nabla (νάβλα), instrument à corde d'origine phénicienne de la famille des cithares • quia : parce que (à situer après facit pour traduire l'inscription **2** et avant uxor pour traduire l'inscription **3**) • sculptus, a, um : sculpté, gravé • tabularium, *ii*, n. : bureau des archives publiques • tracto, as, are, avi, atum : s'occuper de, gérer • uxor, *oris*, f. : épouse

La Belle et la Bête

Mosaïque provenant d'une maison de Samandağı près d'Antioche, IIIe siècle, Musée d'Antakya, Antioche (Turquie).

Psyché, une jeune et belle princesse que ses parents ont dû marier à une créature réputée monstrueuse, se retrouve dans le palais enchanté de son nouvel époux. Une nuit, elle décide de tuer le monstre dont elle ignore l'identité.

1. Psyche[1], relicta sola, statuto consilio, titubat trepidatque. [...]

2. Prolata lucerna et adrepta novacula, videt omnium ferarum mitissimam dulcissimamque bestiam.

3. Videt ipsum Cupidinem formosum amoris deum formose cubantem.

4. Per umeros volatilis dei pinnae quasi rore micantes candicant et, alis quiescentibus, extimae plumulae delicatae tremule resultantes inquiete lasciviunt.

1. Le nom ψυχή (f.) signifie « l'âme » en grec ; le latin l'a transposé en Psyche en gardant la forme du nominatif grec. Dans la tradition iconographique, Psyché porte des ailes de papillon.

Apulée (env. 125-170), *Métamorphoses*, livre V, 21, 3-22, 6 (texte légèrement modifié).

Découvrir un conte

1 Suivez le guide, aidez-vous des couleurs, puis proposez une traduction phrase par phrase en utilisant le lexique.

Phrase 1
a. Repérez les deux verbes conjugués : précisez mode, temps, personne. Quel est le sujet ? Quelle particularité remarquez-vous ?
b. Repérez le groupe qui précise le sujet (qui lui est apposé). Comment est-il constitué ? À quel cas est-il ?
c. Repérez le groupe formant un « ablatif absolu » puis cherchez la carte d'identité de son verbe dans le lexique.

Phrase 2
a. Repérez le groupe « ablatif absolu » : combien de verbes comptez-vous ? Cherchez leur carte d'identité dans le lexique.
b. Repérez le verbe principal. Quel est son sujet ? Est-il exprimé ?
c. Repérez le groupe COD : comment est-il constitué ? Quelle particularité présentent les deux adjectifs de ce groupe ?

Phrase 3
a. Quel verbe est répété ? Quel est son sujet ? son COD ?
b. Analysez la forme surlignée en vert.
c. Repérez un adjectif et un adverbe de la même famille ; cherchez leur sens. Quel est l'effet produit ?

Phrase 4
a. Repérez les deux verbes conjugués : précisez mode, temps, personne.
b. Délimitez le groupe sujet de chaque verbe : comment est-il constitué ? Quelle forme verbale reconnaissez-vous ?
c. Comment est composé le groupe en tête de phrase (surligné en vert) ? Quelle information apporte-t-il ?
d. Repérez le groupe « ablatif absolu » : analysez la forme de son participe.
e. Repérez deux adverbes : cherchez leur sens. Quel est l'effet produit ?

Bilan

2 Préparez un commentaire : comment la surprise est-elle dévoilée ? Comment « le monstre » apparait-il ? Qu'est-ce qui fait son « charme » ? Relevez des éléments précis dans la description.

3 Comparez le texte et l'image. Qui reconnaissez-vous ? Décrivez la scène.

4 Cherchez la suite des aventures de Psyché et rédigez un résumé. Quel conte bien connu s'est directement inspiré du récit imaginé par Apulée ?

Ad familiares scribite !

Écrivez à vos proches !

Les Romains cultivés, comme Cicéron, Sénèque ou Pline, entretenaient une abondante correspondance avec leur famille et leurs amis. À votre tour, prenez la plume.

EPISTULAE VEL LITTERAE

Pour la lettre, vous avez deux noms à retenir :
• epistula, *ae*, f. (souvent au pluriel) pour l'envoi (courrier, missive) ;
• litterae, *arum*, f. pl. pour le texte écrit.

C. PLINIVS CALPVRNIAE SVAE S.

Incredibile est qvanto desiderio tvi tenear.
In cavsa amor primvm, deinde qvod non consve[...]
Inde est qvod magnam noctivm partem in imag[...]

d'après une fresque pompéienne

Vous aurez aussi besoin de verbes et d'adverbes.
• scribo (scribere) : j'écris • mitto (mittere) : j'envoie • accipio (accipere) : je reçois • perlego (perlegere) : je lis jusqu'au bout • heri : hier • hodie : aujourd'hui • cras : demain

Voici des exemples de phrases :

> Cras mane eas litteras habebis.
> Demain matin tu auras cette lettre.

> Heri, epistulas tuas accepi ; tibi gratias ago.
> Hier, j'ai reçu ta lettre ; je te remercie.

> Hodie, litteras tibi scribo. Omnia fere scripsi.
> Aujourd'hui, je t'écris. Je crois avoir tout écrit.

1 Entrainez-vous à lire à haute voix les différentes formules.

INITIUM FINISQUE

Toutes les lettres commencent par :

| Le nom de l'expéditeur *votre nom* au nominatif (sujet) | Le nom du destinataire + adjectif possessif *le nom de votre ami(e)* (marquant l'affection) au datif (COS) **suo** (son cher), **suae** (sa chère) | s. ou s. d. = salutem = salutem dat (*donne son salut*) |

On finit toujours une lettre comme lorsqu'on se sépare, par l'impératif Vale (Porte-toi bien).

2 Prenez exemple sur Pline (p. 113) pour commencer votre lettre.

VALETUDO

Dans une lettre, on ne manque pas d'évoquer l'avenir et la santé (valetudo, *inis*, f.).

> Brevi tempore te, ut spero, videbo.
> Dans peu de temps, comme je l'espère, je te verrai.

> Cura ut valeas.
> Prends soin de te bien porter.

> Si vales bene est ego valeo.
> Si tu vas bien, c'est bien ; moi je vais bien.

La formule est souvent abrégée en S. V. B. E. E. V.

3 Lisez à haute voix les différentes formules.

DULCISSIME

Outre l'adjectif possessif, les Romains utilisent divers moyens dits *hypocoristiques* (*caressant* en grec) pour exprimer leur affection à leurs proches avec beaucoup de douceur (dulcissime), comme nous le faisons aussi.
• Le superlatif : amicus(a) carissimus(a), dulcissimus(a) (ami(e) très cher/chère, très doux/douce). Cicéron écrit souvent à son frère Quintus : Vale mi suavissime et optime frater (Adieu, mon cher frère très tendre et très bon).
• Le diminutif -ulus, -ula (mon petit chéri, ma petite chérie), qu'on peut ajouter au nom d'une personne : Cicéron appelle sa fille Tullia « Tulliola » ou par le diminutif de filia, « filiola » (« fifille »).
• Une expression plus « sucrée » grâce au miel (mel, *mellis*, n.) : mea mellilla ou encore mea mellitula, « mon petit miel » (= ma petite poupée en sucre).

4 À vous de choisir la formule selon votre destinataire (attention au vocatif).

Scripserunt

Voici cinq « billets » d'amour ou d'amitié dont vous pourrez vous inspirer pour rédiger vos lettres. Retrouvez la traduction de chaque « billet » et replacez dans chacun d'eux les mots qui ont été effacés.

incerta   nescio   odi certus   acerbus
idem   vivere
amo   verus   facilis   amabo

1. *Difficilis, ..., jucundus, ... es idem : nec tecum possum ... nec sine te.*

2. *Odero si potero ; si non invitus ... .*

3. *... et ... . Quare id faciam, fortasse requiris.*
   ..., sed fieri sentio et excrucior.

4. *... amicus est tamquam alter ... .*

5. *Amicus ... in re ... cernitur.*

a. Un véritable ami est comme un autre soi-même.
   Cicéron, *De l'amitié*, XXI, 80

b. Je haïrai si je peux ; sinon j'aimerais malgré moi.
   Ovide, *Amours*, III, 11, vers 35

c. L'ami sûr se reconnait dans les situations qui ne sont pas sures.
   Cicéron, *De l'amitié*, XVII, 64

d. Difficile, facile, agréable, hargneux, tu es tout en même temps, et je ne peux ni vivre avec toi ni vivre sans toi.
   Martial, *Épigrammes*, XII, 46 (poème complet)

e. Je hais et j'aime. Pour quelle raison je le fais, tu le demandes peut-être.
   Je ne sais pas, mais je sens qu'il en est ainsi et j'en suis crucifié.
   Catulle, *Poèmes*, LXXXV (poème complet)

Tous en scène

Découvrez une lettre de Pline à son épouse Calpurnia. Formez une équipe de sept lecteurs. Apprenez par cœur une portion du texte latin et présentez l'ensemble en imaginant une mise en scène (Pline à son bureau, son épouse apparaissant comme en rêve, etc.).

C(aius) PLINIUS CALPURNIAE SUAE S(alutem dat)

Incredibile est quanto desiderio tui tenear. // In causa amor primum, deinde quod non consuevimus abesse. // Inde est quod magnam noctium partem in imagine tua vigil exigo, // inde quod interdiu, quibus horis te visere solebam, ad diaetam tuam ipsi me, ut verissime dicitur, pedes ducunt ; // quod denique aeger et maestus ac similis excluso a vacuo limine recedo. // Unum tempus his tormentis caret, quo in foro et amicorum litibus conteror. // Aestima tu, quae vita mea sit, cui requies in labore, in miseria curisque solacium. Vale.

Caius Plinius donne son salut à sa chère Calpurnia

C'est incroyable à quel point je suis pris par le désir de toi alors que tu es absente. // En cause d'abord l'amour, ensuite parce que nous n'avons pas l'habitude d'être loin l'un de l'autre. // Voilà pourquoi je passe la plus grande partie de mes nuits sans dormir à penser à toi, // voilà pourquoi, dans la journée, aux heures où j'avais l'habitude d'aller te voir, c'est vers ta chambre que d'eux-mêmes, comme on dit très justement, mes pieds me conduisent ; // voilà pourquoi enfin je reviens malade, malheureux, comme si j'avais été chassé de ta porte alors que ta chambre est vide. // Il n'y a qu'un moment où je suis délivré de mes tourments, celui que j'use sur le forum et dans les procès de mes amis. // Mesure toi-même ce qu'est ma vie, moi pour qui le repos est dans le travail, le soulagement dans la peine et les soucis. Porte-toi bien.

Pline le Jeune (env. 61-114 après J.-C.), *Lettres*, VII, 5 (texte complet).

Menez l'enquête

Sur le sol dallé de marbre, on peut lire le nom HOLCONIVS. Il fait référence à Marcus Holconius Rufus (le Roux), un magistrat très important de Pompéi. Cherchez pourquoi son nom figurait sur de nombreux édifices de la cité, entre autres le théâtre.

La vie quotidienne des Romains est rythmée par de très nombreuses fêtes (feriae), souvent liées au cycle de la nature. Elles donnent lieu à de grandes cérémonies religieuses et à divers spectacles publics (ludi).

Lawrence Alma-Tadema, *The Vintage Festival*, 1871, huile sur panneau
(51 x 119 cm), National Gallery of Victoria, Melbourne (Australie).

Lire l'image

❶ Le nom anglais *vintage* correspond
au nom Vinalia (n. pl.) en latin : que
signifie ce nom ? Que célébrait-on lors
de cette fête ?

❷ Où se situe la scène ? Décrivez le décor.

❸ Décrivez la procession reconstituée par
le peintre : que font les personnages ? Que
tiennent-ils ?

Rites et fêtes

Pour honorer les dieux, les Romains organisent au fil des saisons de nombreuses fêtes publiques accompagnées de spectacles variés.

Lecture

Flora, mater florum

• *Le poète Ovide imagine une « interview » avec la déesse Flore en personne.*

– **Mater**, ades, <u>florum</u>, ludis celebranda jocosis [...].
Incipis Aprili, **transis** in tempora Maii [...].
Ipsa doce quae sis [...] :
– **Chloris eram** quae **Flora** vocor : corrupta Latino
5 nominis est nostri littera Graeca sono.
Chloris eram, nymphe campi felicis, ubi **audis**
rem fortunatis ante fuisse viris. [...]
Ver erat, **errabam** ; **Zephyrus conspexit, abibam** ;
insequitur, **fugio** : **fortior** ille **fuit**. [...]
10 **Vim tamen emendat** dando mihi nomina **nuptae**. [...]

Vere <u>fruor</u> semper : semper nitidissimus annus,
arbor <u>habet</u> frondes, pabula semper humus.
<u>Est</u> mihi fecundus dotalibus hortus in agris :
aura <u>fovet</u>, liquidae fonte <u>rigatur</u> aquae ;
15 hunc meus <u>implevit</u> generoso flore maritus,
atque <u>ait</u> : « Arbitrium tu, dea, floris <u>habe</u> ! »
Saepe ego digestos <u>volui</u> numerare colores,
nec <u>potui</u> : numero copia major <u>erat</u>. [...]

Omnia finierat : tenues **secessit** in auras,
20 **mansit odor** ; posses scire fuisse **deam**.

–   , viens [ici, jusqu'à moi], toi que doivent célébrer des jeux joyeux [...].   au mois d'avril,   en mai [...]. Apprends-moi toi-même qui tu es [...] :
–   , moi qui suis appelée   : une lettre grecque de mon nom a été altérée par la prononciation latine.
          , où
            . [...] C'était le printemps,
                  ;
            ; il me suit,   : celui-ci
            . [...]
                  en me donnant le nom   . [...]

Elle avait tout fini :   dans les airs légers,
            ; on pouvait savoir que c'était   .

Publius Ovidius Naso,
Fasti, liber quintus.

Ovide (43 avant J.-C.-18 après J.-C.),
Fastes, livre V, vers 183-376.

---

flos, *oris*, m. : la fleur

La même racine indo-européenne *bhlo-, qui exprime l'idée de pousser et s'épanouir pour la végétation, a produit des radicaux variables (φύλ-, fol-, flo-, blo-). On les retrouve dans plusieurs mots, comme le nom flos (fleur) et le verbe floreo, es, ere (fleurir), ou encore les noms φύλλον / folium, n. qui désignent la feuille (*phulam* en sanskrit).

Vocabulaire pour traduire

campus felix : dans la mythologie, « la plaine heureuse » est le séjour des « hommes fortunés », c'est-à-dire « bien dotés par le sort » (viri fortunati) au temps de l'âge d'or • fruor : je profite de + Abl. • hunc, Acc. = ce jardin • nymphe (N. grec = nympha) : nymphe, divinité de la nature • res, Acc. rem, f. : chose, ici au sens des choses de la vie (= toute la vie) • rigatur : il est arrosé • Zephyrus : le vent d'ouest, doux et tiède, qui annonce le printemps

Sandro Botticelli, *Primavera (Le Printemps)*, huile sur bois (203 x 314 cm), 1482, Galerie des Offices, Florence.

MNE

Une **étude d'œuvre** pour découvrir ce tableau.

PEAC

Étymologie

a. Comment appelle-t-on un recueil de morceaux choisis comme des fleurs ? un vase destiné à une seule fleur ?

b. De quelle forme verbale latine précise sont issus les prénoms Florence et Florent ? Que signifient-ils ?

c. Cherchez ce que signifient *flower* et *blossom* (nom et verbe) en anglais. Que remarquez-vous ?

Comprendre le texte et l'image

❶ Lisez à haute voix les vers latins de 1 à 10 et les vers 19-20.

❷ Complétez la traduction des mots latins en gras.

❸ Traduisez les vers 11 à 18 en vous aidant des couleurs et du lexique.

❹ Le nom Χλωρίς vient de l'adjectif χλωρός (vert) : dans quel mot français le retrouvez-vous ? Comment Ovide justifie-t-il le passage au nom latin (vers 4-5) ?

❺ Selon Ovide, qu'est-ce qui trahit la présence d'une déesse ? Relevez les mots latins.

❻ Quel nom latin retrouvez-vous dans le titre en italien du tableau ?

❼ Le personnage central est la déesse de l'amour survolée par son fils ailé : nommez-les.

❽ Un épisode évoqué par Ovide est représenté dans la partie droite : décrivez la scène.

❾ Qui est le personnage ailé ? Qu'est-il en train de faire ?

Le futur antérieur, le plus-que-parfait, l'expression du temps

OBSERVER et REPÉRER

Chloris ou Flora ?

1. Olim **aurea aetate** homines felices vivebant : bellum enim non jam <u>fecerant</u>.
Autrefois, au temps de l'âge d'or, les hommes vivaient heureux : en effet, ils n'avaient pas encore fait la guerre.

2. Illis temporibus Chloris nympha erat ventusque Zephyrus.
En ces temps-là, Chloris était une nymphe et Zéphyr un vent.

3. Antequam Zephyrus Chloridem conspicit amorem ignorat, sed postquam eam vidit Cupidinis potestatem sentit.
Avant que Zéphyr aperçoive Chloris, il ignore l'amour, mais après qu'il l'a vue, il ressent la puissance de Cupidon.

4. Diem noctemque ventus flabat et nympha fugiebat. **Decima nocte**, ventus nympham rapit.
Le jour et la nuit, le vent soufflait et la nymphe fuyait. La dixième nuit, le vent enlève la nymphe.

5. Nunc Chloris Zephyri uxor florumque dea Flora est : flores hominibus dabit cum ver hiemem <u>expulerit</u>.
Maintenant Chloris est l'épouse de Zéphyr et la déesse des fleurs Flora : elle donnera les fleurs aux hommes quand le printemps aura chassé l'hiver.

— À l'oral —

« Pendant qu'elle parle, elle exhale de sa bouche des roses printanières. » (*Fastes*, V, vers 194)
Quel vers d'Ovide décrit Flore ?
a. Dum loquitur, verba efflat ab ore ut rosas.
b. Dum loquitur, vernas efflat ab ore rosas.
c. Dum loquitur, vernas inflat in os rosas.

Identifiez le plus-que-parfait et le futur antérieur

1 **Phrase 1**
a. Retrouvez la carte d'identité du verbe souligné : quelle forme de radical reconnaissez-vous ?
b. Quel est le sujet du verbe ? Quelle est la marque de la personne dans le verbe ?
c. Comment situez-vous l'action de ce verbe par rapport au verbe précédent ?

2 **Phrase 5** Mêmes consignes que pour la phrase 1.

Repérez la façon d'exprimer le temps

3 **Phrases 1 et 2** Quelle information apportent les groupes de mots en gras ? À quel cas sont-ils ?

4 **Phrase 4** Quelle différence voyez-vous entre les deux groupes en gras ?

5 **Phrase 3** Relevez les verbes conjugués en français puis en latin. Quels sont les verbes principaux ? Comment les autres sont-ils introduits ?

Faites le bilan

6 Complétez l'explication en relevant les numéros des phrases où vous avez observé les éléments signalés.
Il existe plusieurs façons d'exprimer le temps :
- des compléments circonstanciels à l'accusatif → ... ou à l'ablatif → ... ;
- des propositions subordonnées circonstancielles introduites par une conjonction de subordination → ... ;
- des adverbes → ....

AUDIO
Écoutez les textes du chapitre à cette adresse :
lienmini.fr/latin4-100

APPRENDRE

1 Le futur antérieur et le plus-que-parfait

▶ Le **futur antérieur** situe l'action **avant une action exprimée au futur**.

Cum ver hiemem **expulerit**, arbores florebunt.
Quand le printemps **aura chassé** l'hiver, les arbres fleuriront.

▶ Le **plus-que-parfait** situe l'action **avant une action exprimée au passé** (imparfait, parfait).

Ver hiemem **expulerat** et arbores jam florebant.
Le printemps **avait chassé** l'hiver et les arbres fleurissaient déjà.

Futur antérieur *j'aurai aimé*	Plus-que-parfait *j'avais aimé*	Futur antérieur *j'aurai été*	Plus-que-parfait *j'avais été*
amavero	amaveram	fuero	fueram
amaveris	amaveras	fueris	fueras
amaverit	amaverat	fuerit	fuerat
amaverimus	amaveramus	fuerimus	fueramus
amaveritis	amaveratis	fueritis	fueratis
amaverint	amaverant	fuerint	fuerant

Le **futur antérieur** se forme en ajoutant le suffixe -er- / -eri- et les terminaisons -o, -s, -t, -mus, -tis, -nt au **radical du parfait**.

Le **plus-que-parfait** se forme en ajoutant le suffixe -era-.

2 Les compléments circonstanciels de temps

Ablatif → sans préposition →
Aurea aetate homines felices vivebant.
Au temps de l'âge d'or, les hommes vivaient heureux.

Date, époque

Quando ? Quand ?

Accusatif →
sans préposition →
Multos annos homines felices vixerunt.
Pendant de nombreuses années, les hommes vécurent heureux.

per, durant (sans interruption) →
Per decem annos Ulixes ad insulam suam navigavit.
Durant dix ans, Ulysse a navigué vers son ile.

Durée

Quamdiu ?
Pendant combien de temps ?

3 La proposition subordonnée circonstancielle de temps

▶ Elle permet de situer des évènements en fonction de leur ordre chronologique. Elle est introduite par une **conjonction de subordination** (en un ou deux mots) et son verbe est à l'**indicatif**.

Conjonctions de subordination

cum, ubi, ut, quando
quand, lorsque, alors que, au moment où →
Quando ver adest, arbores florent.
Quand le printemps est là, les arbres fleurissent.

cum / ut primum
dès que →
Ut primum Zephyrus nympham conspexit, amor ventum percussit.
Dès que Zéphyr aperçut la nymphe, l'amour frappa le vent.

dum
pendant que →
Dum nympha ambulabat, Zephyrus flabat.
Pendant que la nymphe se promenait, Zéphyr soufflait.

antequam
avant que →
Antequam Zephyrus nympham conspicit, amorem ignorat.
Avant que Zéphyr aperçoive la nymphe [*subjonctif en français*], il ignore l'amour.

postquam
après que →
Postquam Zephyrus nympham conspexit, amor ventum turbat.
Après que Zéphyr a aperçu la nymphe, l'amour trouble le vent.

Vocabulaire

> conspicio, is, ere, spexi, spectum : regarder
> fugio, is, ere, fugi : fuir
> rapio, is, ere, rapui, raptum : enlever, saisir

> aetas, *atis*, f. : l'époque, la période, l'âge
> hortus, *i*, m. : le jardin
> tempus, *oris*, n. : le temps, la saison, l'occasion

> jam : déjà, désormais
> olim : autrefois, un jour

Exercices

 EXERCICES **lienmini.fr/latin4-101**

Saisissez cette adresse dans votre navigateur pour accéder à des **exercices interactifs**.

Conjuguer

1 Retrouvez la carte d'identité de ces verbes puis conjuguez-les au futur.

moneo • maneo • absum • traho • vivo • fugio

2 Traduisez chaque verbe : orabant • orabunt • oraverunt • audivistis • auditis • audietis.

3 Retrouvez la carte d'identité de ces verbes et donnez la 3e personne du singulier du plus-que-parfait et la 3e personne du pluriel du futur antérieur.

do • deleo • scribo • rapio • venio

4 À quel temps sont ces verbes ? Transposez-les au plus-que-parfait sans modifier la personne.

delectaverunt • manserunt • fuit • duxi • potuisti • ponebat • erant • accipiebatis • manebant • dabas

5 À quel temps sont ces verbes ? Transposez-les au futur antérieur sans modifier la personne.

dices • manebunt • accipient • delectabo • jubebitis • scribam • faciet

Reconnaitre l'expression du temps

6 Traduisez la question puis choisissez la bonne réponse.

1. Quando venietis ?

2. Quamdiu in Graecia mansisti ?

3. Quot annos Romulus regnavit ?

4. Quamdiu in Troia bellum fuit ?

   a. Triginta duo de quadraginta annos regnavit.

   b. Per decem annos bellum fuit.

   c. Tertia hora veniemus.

   d. Quattuor menses mansi.

7 Retrouvez la question correspondant à la réponse, complétez et traduisez.

1. Proxima nocte ... plena erit.

2. Decem annos ... navigavit.

3. Media nocte Zephyrus ... rapuit.

4. Sexdecim annos cum ... Romani pugnaverunt.

   a. Quando Zephyrus nympham rapuit ?

   b. Quot annos cum Hannibale Romani pugnaverunt ?

   c. Quando luna plena erit ?

   d. Quanto tempore Ulixes navigavit ?

8 **a.** Lisez ces phrases dans l'ordre. Laquelle est au plus-que-parfait ? Traduisez-la.

1. Dei cives benigne audiunt.

2. Omnes dei fortes cives benigne audiebant.

3. Omnes civitatis dei fortium civium verba benigne audiverant.

b. Transformez la phrase **1** en une subordonnée circonstancielle de temps puis choisissez une principale :

◯ *bellum est in Olympo*   ◯ *civitati pacem dant*

◯ *discordiam in urbe excitant.*

9 Aenigma

> Adonidis sanguis mihi colorem dedit. Flos tenuissimus sum : cùm respirat Zephyrus brevis est vita mea. Itaque in nomine meo ἄνεμος – id est ventus – sedet.

Sum : ◯ *narcissus* ◯ *rosa* ◯ *anemone.*

Lire, comprendre, traduire

10 Voici l'histoire d'Acis et de sa statue.

Olim Acis pastor erat nymphamque Galateam amabat. Sed Polyphemus Cyclops Galateam quoque ... : ubi primum Acidem cum Galatea ... vidit, eum saxo ... . Fabula ..., vir dives a claro sculptore statuam Acidis petivit. Sculptor autem piger ... , statuam non ..., sed ingens saxum misit et ... : « statuam tuam ... . »

Vir statuam diu consideravit, deinde respondit :

– Vetus saxum ... , sed ubi est Acis ?

– Acis sub saxo est, itaque non ... potest.

– Numquam similem statuam ... : omnes certe ... . Sed ego tibi pecuniam promissam ... ut primum Acidis corpus e saxo ... .

Choisissez dans la liste suivante le verbe qui convient, précisez le mode et le temps de chaque forme et traduisez.

erat • scripsit • dabo • cubantem • habes • video • fecit • extraxeris • contrivit • videre • delectabit • delectatus • videram • amabat

11 Sententia

Μία χελιδὼν ἔαρ οὐ ποιεῖ οὐδέ μία ἡμέρα.
una hirundo non facit ver neque una dies

(Aristote, *Éthique à Nicomaque*, I, 1098a / Érasme, *Adages*, 694)

Choisissez la traduction qui convient et apprenez par cœur la maxime en grec et en latin.

Une seule ◯ *fleur* ◯ *hirondelle* ◯ *déesse* ne fait pas ◯ *le printemps* ◯ *le bonheur* ◯ *l'herbe verte* ni une seule ◯ *heure* ◯ *nuit* ◯ *journée* (de beau temps).

Reconnaitre une préposition, un préfixe

12 La préposition prae **+ Abl.** signifie « devant » ; elle sert de préfixe dans la composition de nombreux mots latins.

→ Puellae **prae** deae statuam flores **prae**ferunt.

Les jeunes filles apportent des fleurs devant la statue de la déesse.

a. Quel verbe latin retrouvez-vous dans le nom *préférence* ? Expliquez son sens.

b. Recopiez le tableau suivant et complétez-le.

	Carte d'identité	Verbes français	Noms français
praescribo, …			
praepono, …			
praecido, …			
praedico, …			
praeparo, …			

c. Formé sur le nom caput, *capitis*, n. (tête), l'adjectif praeceps, cipitis, signifie « la tête en avant ». Citez un verbe et deux noms français qui en sont issus.

13 Sens propre, sens figuré

Formé sur le verbe coquo, is, ere, coxi, coctum, qui signifie « faire cuire », l'adjectif praecox, oquis (ou ocis) s'applique à ce qui a été « cuit avant le temps », comme les fruits que le soleil a fait murir avant la période habituelle.

a. Quel adjectif français est directement issu de l'adjectif latin ? Quel est son sens ?

b. Les adjectifs suivants, sauf deux, sont ses synonymes ou ses antonymes. Éliminez les deux intrus puis rangez les adjectifs dans les bonnes cartes.

tardif • attardé • hâtif • anticipé • précieux • prématuré • préconisé • avancé • retardé

Antonymes	Synonymes
…	…
…	…
…	…
	…

c. Quel radical retrouvez-vous dans les mots *décoction* et *concocter* ? Expliquez-les.

14 Vous avez découvert le nom flos, *floris* p. 116. Le français en a tiré le nom *fleur* dont la forme a évolué à partir de l'accusatif florem. C'est pourquoi les mots de cette famille présentent un radical en *flor-* ou en *fleur-*. Trouvez le mot correspondant à chaque définition.

arriver à la surface

ensemble des plantes d'une région donnée

action de fleurir

pièce de monnaie ornée d'une fleur

toucher légèrement

exposition horticole

épée dont la lame est terminée par un bouton en forme de fleur

ornement en forme de fleur

L'arbre à mots

15 Les mots suivants sont les fruits de l'arbre à mots : recopiez-les, encadrez leur radical et notez le numéro de leur branche.

collier • agriculture • encyclopédie • décoloniser • recyclage • culte • culturel • bicyclette • monoculture

16 Complétez les définitions avec des mots de l'exercice **15**.

1. Ensemble des cérémonies religieuses et des honneurs rendus à une divinité : … .

2. Accorder son indépendance à un pays qui a été soumis à l'autorité d'un autre : … .

3. Ouvrage qui fait le tour de toutes les connaissances : … .

4. Action de cultiver une seule espèce végétale : … .

5. Objet qui fait le tour du cou : … .

6. Récupération des déchets : … .

17 « Je suis un géant redoutable au regard tout rond. Pourtant Ulysse m'a vaincu par la ruse. **Qui suis-je ? »**

_ _ _ _ _ _ _   *(7 lettres)*

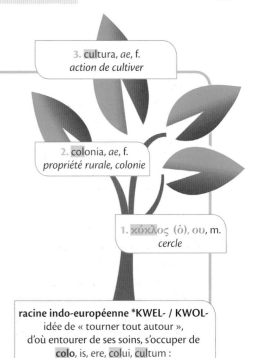

3. cultura, *ae*, f.
action de cultiver

2. colonia, *ae*, f.
propriété rurale, colonie

1. κύκλος (ὁ), ου, m.
cercle

racine indo-européenne *KWEL- / KWOL-
idée de « tourner tout autour »,
d'où entourer de ses soins, s'occuper de
colo, is, ere, colui, cultum :
habiter, cultiver, honorer

Des fêtes toute l'année

Les fêtes publiques constituent une institution fondamentale du monde romain, à la fois religieuse, politique et sociale.

·····Dieux souverains, dieux spécialisés

À côté des grands dieux souverains dits « olympiens », qui portent la marque du panthéon grec, les Romains honorent aussi de nombreuses divinités proprement « romaines » : ils les associent à des activités spécialisées, très souvent en lien avec la nature, comme Flora (p. 116). Par exemple, Pomona est la déesse des fruits, Pales celle des bergers et des pâturages ; le dieu Faunus veille sur la fécondité des troupeaux, Vertumnus sur le changement des saisons, Janus sur les portes des maisons et des villes. Selon la tradition, c'est le roi Numa Pompilius, successeur de Romulus, qui aurait établi l'essentiel des cultes et des fêtes destinés à honorer tous ces dieux.

·····Le gout de la fête

① Fresque de la villa d'Ariane à Stabies (près de Pompéi), Iᵉʳ siècle après J.-C., Musée archéologique de Naples.

● En ce moment je suis édile désigné ; je sais l'importance des fonctions que j'ai reçues du peuple romain : organiser avec le plus grand soin les jeux les plus sacrés et les cérémonies religieuses pour Cérès ; gagner pour tout le peuple de Rome la faveur de la mère Flore par la célébration solennelle des jeux institués en son honneur ; célébrer avec la plus imposante majesté et le plus grand respect religieux les jeux solennels les plus anciens de Rome, les premiers qu'on appela romains, au nom de Jupiter, de Junon et de Minerve.

Cicéron (106-43 avant J.-C.),
Discours contre Verrès, II, V, 36.

② Lawrence Alma-Tadema, *Spring*, 1894 (détail), Paul Getty Museum, Los Angeles.

Fixées par le calendrier officiel (p. 123), les fêtes romaines comportent tout un rituel de cérémonies destinées à gagner la faveur des dieux : des processions, des sacrifices et des spectacles variés, appelés *ludi* (jeux), offerts à toute la population (pp. 124-125). Parmi ceux-ci, les plus prestigieux sont les Ludi Magni ou Romani, instaurés sous le règne des Tarquins : du 4 au 19 septembre, ils comportent des compétitions sportives (courses de chevaux et de chars, épreuves athlétiques, boxe, lutte, course à pied) et des représentations théâtrales.
Quant aux Floralia ou Ludi Florales, fixés du 28 avril au 3 mai à partir de 173 avant J.-C., ils donnent lieu à de joyeux cortèges, chants, danses, spectacles de mimes, offrandes de fleurs et de graines pour célébrer la fécondité.

❶ Donnez le nom grec des divinités olympiennes citées par Cicéron : quels sont leurs liens de parenté ?

❷ Quel magistrat est chargé des jeux à Rome ?

❸ Décrivez la fresque (doc. ①) : qui reconnaissez-vous ?

❹ Quelles sont les divinités célébrées dans les Ludi Romani et dans les Floralia ?

❺ Quelle fête le peintre a-t-il imaginée (doc. ②) ? Décrivez la scène : où se passe-t-elle ?

••Jours fastes et néfastes

Pour les Romains, il faut toujours veiller à distinguer ce qui est permis par les dieux, désigné par le nom neutre fas (du verbe fari, *parler*, p. 131), de ce qui ne l'est pas (ne-fas). C'est pourquoi ils séparent le temps des hommes (le moment où l'on travaille) et le temps des dieux (celui où on les invite à faire la fête).

Sous l'autorité du pontifex maximus (« le grand pontife », chef de la religion publique), le calendrier appelé fasti (*orum*, m. pl. : fastes) récapitule les dies fasti (jours fastes), où il est permis par la religion d'exercer une activité, et les dies nefasti (jours néfastes), réservés aux dieux, où se tiennent les cérémonies de purification, de commémoration et les feriae (fêtes publiques).

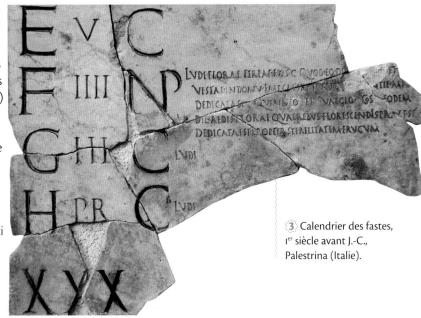

③ Calendrier des fastes, Iᵉʳ siècle avant J.-C., Palestrina (Italie).

Durant les jours néfastes, tribunaux et assemblées (comices, p. 38) ne peuvent siéger. Tous les jours de fête publique sont déclarés « néfastes », ce qui signifie que la moindre activité effectuée ces jours-là serait condamnée à être privée de toute assistance religieuse, dieux et hommes étant occupés à faire la fête. À l'époque impériale, on compte 109 jours nefasti dans l'année, dont 61 de fêtes publiques (publici).

6 Ovide a composé un long poème consacré aux fêtes romaines, mois par mois (p. 116) : donnez le titre de ce poème en latin et en français.

7 Qui est désigné aujourd'hui par l'expression *souverain pontife* ?

8 Que signifient les adjectifs *faste* et *néfaste* ?

9 Que signifie l'expression *jours fériés* ? Quelle est son origine ?

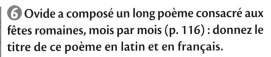

APPRENTI ARCHÉOLOGUE

Le document ③ est l'un des fragments d'un calendrier des *fastes*, gravé dans le marbre et placé sur le forum de Préneste (à 37 km à l'est de Rome) en récapitulation des années 6 à 9 avant J.-C. Ces fragments sont aujourd'hui conservés au Musée national romain à Rome.

→ La lettre C indique le jour où se tiennent les assemblées générales, électorales, législatives ou judiciaires. Nommez-les en latin. S'agit-il de jours *fastes* ou *néfastes* ?

→ Que désignent les lettres accolées NP ? Que se passe-t-il ce jour-là ?

→ Quel mot complet pouvez-vous lire trois fois ?
Quels sont les deux mots inscrits après la première occurrence ?
Que se passe-t-il ce jour-là ?

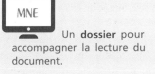

MNE

Un **dossier** pour accompagner la lecture du document.

La religion romaine : divinités et cultes

Pour les Romains, les dieux sont des partenaires invisibles et indispensables : ils cohabitent avec les hommes et les accompagnent dans toutes leurs entreprises.

Le contrat avec les dieux

Le terme religio (*onis*, f.) désigne le respect scrupuleux à l'égard des dieux : il permet de maintenir le « contrat » de bonne entente qui lie (verbe **relig**are) les hommes aux puissances « supérieures ». Chacun s'engage à rendre service à l'autre : les hommes font des offrandes aux dieux, les dieux offrent leur protection aux hommes. Les rites sont accomplis avec soin, en privé par le chef de famille (p. 88), en public par les représentants de l'État.

> Si on nous compare aux autres peuples, on nous trouvera égaux ou même inférieurs à eux dans tous les domaines, mais dans celui de la religion (religione), c'est-à-dire dans le culte rendu aux dieux (cultu deorum), nous leur sommes de beaucoup supérieurs.
>
> **Cicéron**, *De la nature dieux*, livre II, 3, 8.

Statue romaine en marbre (H. : 2,28 m) provenant de Cyrène (Libye), IIe siècle, Musée de Cyrène.

Des dieux partout

Fresque provenant de la maison des Vestales à Pompéi, Ier siècle, musée du Louvre, Paris.

Pour les Romains comme pour les Grecs, les « grands » dieux et déesses du panthéon olympien résident dans le ciel ou dans les temples. Mais les Romains révèrent aussi une foule de divinités locales qui habitent partout dans la nature : dans un bois, une source, un fleuve, une grotte. Dès lors qu'il est reconnu comme un domicile divin, le lieu fait l'objet d'un culte.

Ainsi le roi Numa Pompilius, qui est considéré comme le fondateur des cultes romains, consultait-il régulièrement son Égérie dans un bois sacré près d'une porte de Rome.

> *Rescapé de Troie, Énée arrive enfin en Italie, dans le Latium.*
> Voici que lui apparait le dieu du lieu en personne, le fleuve Tibre au beau cours : il se dresse, sous l'aspect d'un vieillard, au milieu du feuillage des peupliers ; une étoffe de lin très fin l'enveloppait d'un voile vert couleur de l'eau et de sombres roseaux couvraient sa chevelure.
>
> **Virgile**, *Énéide*, livre VIII, vers 31-35.

❶ D'où vient le nom *religion* ?

❷ Selon Cicéron, qu'est-ce qui fait la supériorité des Romains ?

❸ Décrivez la statue (doc. ①) : qui représente-t-elle ? Quels indices permettent de répondre ?

❹ Quand Numa a-t-il régné ? Qui était Égérie ?

❺ Décrivez le personnage sur la fresque (doc. ②). Que représente-t-il ?

❻ Quels éléments de la description de Virgile retrouvez-vous ?

Rites et fêtes

Pour perpétuer la pax deorum (la paix des dieux), les Romains honorent toutes leurs divinités par de très nombreux rites hérités des ancêtres : prières, offrandes, fêtes, processions, sacrifices. Le poète Ovide avait entrepris d'en raconter l'histoire en mêlant les descriptions des cultes au fil des mois (p. 123) et les anecdotes mythologiques : il rend ainsi hommage à Janus, le dieu qui « ouvre » l'année, en lui donnant la parole.

> Apprends la raison de mon apparence. Toute porte (janua) possède deux faces : l'une regarde les gens vers l'extérieur, l'autre le Lare de la maison, vers l'intérieur. Et de même que votre portier, assis près du seuil de la maison, voit les entrées et les sorties, de même moi, portier du palais céleste, j'examine en même temps l'Orient et l'Occident. Pour ne pas perdre de temps à tourner la tête, je peux tout suivre des yeux sans bouger le corps.
>
> **Ovide**, *Fastes*, livre I, vers 134-144.

③ Statuette étrusque en bronze (H. : 29,6 cm), IIIᵉ siècle avant J.-C., Musée étrusque, Cortone (Italie).

Un rite central : le sacrifice

Le sacrifice (de sacra + facere, « faire les choses sacrées ») est le rite principal de la religion romaine : on nourrit les dieux en leur offrant des animaux, tandis qu'on leur fait des libations en versant du vin, du lait, de l'huile, des céréales. Par exemple, on offre à Mars des *suovetaurilies* (suovetaurilia) : un porc (sus), un bélier (ovis) et un taureau (taurus). Le cortège avec le magistrat et ses licteurs (p. 18) avance en procession. La tête ornée de bandelettes, la bête est conduite à l'autel, devant le temple. Le prêtre, pur de toute souillure (il s'est lavé les mains dans un bassin), la tête couverte par un pan de sa toge, procède au sacrifice : il saupoudre la tête de la victime de mola salsa (de la farine mêlée de sel, préparée par les vestales) ; ensuite l'assistant du prêtre assomme et égorge l'animal d'un coup de hache ; les entrailles sont prélevées. Un haruspice, spécialiste étrusque de la lecture des signes, examine le foie pour y « lire » la volonté des dieux. Si l'observation ne décèle aucun présage défavorable, les viscères (cœur, foie, rate, poumons) sont brulés sur l'autel : c'est la part réservée aux dieux. La viande est partagée entre le prêtre et le public.

④ Relief en marbre provenant du Champ de Mars à Rome (H. : 0, 87 m, L. : 2 m), env. 15 après J.-C., musée du Louvre, Paris.

❼ D'où vient le nom de Janus ? Quel mois porte son nom ? À votre avis, pourquoi ?

❽ Décrivez la statuette (doc. ③). Qui est représenté ?

❾ Décrivez en détail la scène sur le relief (doc. ④). Comment se nomme cette cérémonie en latin ?

Au théâtre

Les représentations théâtrales occupent une large place
dans les fêtes offertes chaque année par la cité.

Lecture

Surprise ! Des dieux sur scène...

*Auteur de comédies à succès, Plaute fait représenter en 189 avant J.-C. une pièce
d'un nouveau genre où il transforme la tradition mythologique en sujet comique.
Le spectacle vient de commencer…*

Jovis jussu **venio** ; **nomen Mercurio est mihi.**
Pater huc me misit ad vos oratum **meus** [...].
Hanc <u>fabulam</u>, inquam, hic **Juppiter hodie** ipse aget,
et ego una cum illo. **Nunc** animum advortite,
5 **dum** hujus argumentum eloquar comoediae.
Haec **urbs est Thebae** : in illisce **habitat** aedibus
Amphitruo, natus Argis ex Argo patre,
quicum Alcumena **est nupta**, Electri **filia.**
Is nunc Amphitruo praefectust legionibus ;
10 **nam** cum Telobois **bellum est Thebano poplo.**
Is, priusquam hinc abiit ipsemet in exercitum,
gravidam Alcumenam uxorem fecit suam.
Nam ego vos novisse credo jam ut sit pater meus ; [...]
quantusque amator sit quod complacitum est semel.
15 **Is amare occepit Alcumenam clam virum** [...].
Nunc de Alcumena ut rem teneatis rectius,
utrimque est gravida et ex viro et ex summo Jove.
Et meus pater nunc intus hic cum illa **cubat**
et haec ob eam rem nox est facta **longior** [...] ;
20 sed ita **adsimulavit** se quasi **Amphitruo** siet.

Titus Maccius Plautus,
Amphitruo.

sur l'ordre de Jupiter ;
pour vous
parler [...]. Cette pièce, dis-je, c'est   qui
va la jouer lui-même ici   ,
avec lui.   écoutez bien,   je vais
expliquer le sujet de cette comédie. Cette
. Dans cette demeure   Amphitryon, né à Argos d'un père argien, avec qui
Alcmène,   d'Électryon,   .
avec ses légions ;
avec les Téléboens.
.

; [...] et combien il peut faire le joli cœur
une fois qu'il a repéré une beauté qui lui plaît.

[...].   pour que vous sachiez
plus exactement l'affaire
.
ici avec elle ; et pour
cette raison cette nuit a été rendue
[...] ;   comme s'il
était   .

Plaute (env. 254-184 avant J.-C.),
Amphitryon, vers 19-115.

fabula, *ae*, f. : le propos, le récit, la pièce

Issu d'une famille indo-européenne attachée à l'idée
de *parler* (p. 131), ce nom désigne tout type de parole
(propos, conversation) mais aussi de récit raconté sans
garantie historique (histoire inventée, mythe, légende,
conte). Au théâtre, il désigne la pièce imaginée par un
auteur.

Vocabulaire pour traduire

huc : ici • ipsemet : lui-même • praefectust (= prefectus est) : il est parti •
poplo = populo • una : en même temps •
ut sit : comment est (= comment se
comporte) • utrimque : des deux côtés,
doublement

Cratère en forme de cloche attribué
à Astéas (H. : 37 cm), 340 avant J.-C.,
musées du Vatican, Rome.

Étymologie

a. Les mots suivants, sauf un, ont le même radical. Éliminez l'intrus, recopiez les mots, encadrez leur radical et donnez leur sens.
affable • fabuleux • fabliau • fabulateur • ineffable • affabulation •
fabrique • fabuliste

b. Quel célèbre ouvrage a
composé Jean de La Fontaine ?
D'où vient ce titre ?

Comprendre le texte et l'image

1 Lisez à haute voix les vers latins.

2 Complétez la traduction des mots latins en gras.

3 Qui est le personnage qui parle ? Qui est son père ? Nommez-les
en latin et en français.

4 Deux autres personnages importants sont cités : donez leur
nom. Quel lien y a-t-il entre eux ?

5 Quel comportement du roi des dieux est ici mis en évidence ?
Relevez le vers latin qui le résume.

6 Où se passe l'action ? Quel décor ima-
ginez-vous derrière celui qui parle ?

7 Observez la scène représentée sur le
vase : quel lien faites-vous avec le texte de
Plaute ? Justifiez votre réponse.

8 Décrivez les personnages sur le vase :
de quelle façon sont-ils représentés ? Qui
reconnaissez-vous ?

Langue · *Hic, iste, ille, idem, ipse* ; l'expression du lieu

THRASO MILES

Illustration provenant d'un manuscrit médiéval, reproduite dans un ouvrage sur les comédies de Plaute, 1885.

OBSERVER et REPÉRER

● Les confidences d'un esclave

Un esclave présente au public la pièce intitulée Miles gloriosus *(voir p. 79).*

1. Hoc oppidum Ephesus est : **ille** est miles, meus herus.
Cette ville fortifiée *(où je suis)*, c'est Éphèse : **celui-là** *(qui est là-bas, au loin)*, c'est un militaire, mon maitre.

2. Nunc **hujus** militis hic servus sum sed annis ante paucis Athenis servivi in domo adulescentis optimi.
Maintenant je suis ici l'esclave de **ce** militaire *(dont je parle)*, mais peu d'années auparavant j'ai été esclave à Athènes dans la maison d'un jeune homme très bon.

3. Ille adulescens amabat puellam et **illa illum** contra.
Ce *(charmant)* jeune homme aimait une jeune fille et **celle-ci** aimait **celui-ci** en retour.

4. Idem adulescens Corinthum ire debuit. Interim **iste** gloriosus forte Athenas advenit insinuatque sese ad **illam** puellam. **Ipse** occipit **ejus** matri dona adferre.
Le **même** jeune homme dut aller à Corinthe. Entretemps, ce *(fichu)* vantard arrive par hasard à Athènes et s'introduit chez **cette** jeune fille. Il commence à porter des cadeaux **lui-même** à la mère de **celle-ci** [= à sa mère].

D'après **Plaute**, *Le Soldat fanfaron*, II, 1, vers 86 à 106.

À l'oral

L'esclave qualifie son maitre en grec et en latin : choisissez la bonne formule.
a. θρασύς vel audax, sed gloriosus.
b. σοφός vel sapiens, sed ambitiosus.
c. καλός vel pulcher, sed ignavus.

Identifiez les pronoms-adjectifs démonstratifs

❶ Observez la traduction de tous les mots en gras. Quelles informations apportent-ils ?

❷ Parmi ces mots, quel est celui que vous connaissez déjà (**phrase 4**) ? Rappelez à quoi il sert.

❸ Quelles précisions ou nuances ajoutent les mots entre parenthèses ?

Repérez l'expression du lieu

❹ Phrase 2
a. Relevez en français les mots qui donnent les informations sur le lieu de l'action. Comment sont-elles exprimées ?
b. Retrouvez-les en latin : que constatez-vous ? Quel cas repérez-vous ?

❺ Phrase 4 Mêmes consignes que pour la phrase **2**.

Faites le bilan

❻ Complétez l'explication en notant les numéros des phrases où vous avez observé les mots signalés.
En latin, un mot particulier, pronom ou adjectif,
• renvoie à quelqu'un ou quelque chose : qui est proche de celui qui parle : n°... ; qui est plus loin ; sur quoi / sur qui on a une mauvaise opinion : n°... ; qui est le plus éloigné ; sur quoi / sur qui on a une bonne opinion : n°... .
• marque l'identité entre plusieurs personnes : n°... .
• insiste sur l'identité de la personne : n°... .

Écoutez les textes du chapitre à cette adresse :
lienmini.fr/latin4-110

APPRENDRE

1 Hic, iste, ille, idem, ipse

	Emploi	Exemples
hic, haec, hoc	• indique **ce qui est proche** de celui qui parle (dans l'espace, dans le temps, dans les relations, etc.)	• **adjectif** : **hic** miles, **ce soldat-ci** (qui est à côté de moi, qui est mon maitre). • **pronom** : **hic** venit, **celui-ci** arrive.
iste, ista, istud	• indique **ce qui est plus éloigné** (qui est proche de celui à qui on parle) ; • se charge souvent d'un sens **péjoratif**, en particulier au théâtre	• **adjectif** : **iste** miles, **ce soldat-là** (qui est près de toi, que tu connais) ; **ce fichu** soldat. • **pronom** : **iste** rediit, **celui-là** est revenu ; **ce sinistre individu** est de retour.
ille, illa, illud	• indique **ce qui est éloigné** ; • se charge souvent d'un sens **laudatif**	• **adjectif** : **ille** adulescens, **ce jeune homme-là** (qui est loin, que j'ai connu autrefois) ; **ce charmant** jeune homme. • **pronom** : **ille** vicit, **celui-là** a gagné ; **ce grand homme** remporta la victoire.
idem, eadem, idem	• marque **l'identité** ou la **ressemblance**	• **pronom ou adjectif** : le / la **même**. Non omnibus pedibus **eumdem** calceum induces. Tu ne mettras pas **la même** chaussure à tous les pieds.
ipse, ipsa, ipsum	• insiste sur une personne ou une chose **déterminée**	• **pronom ou adjectif** : lui-même / elle-même, en personne. Odi sapientem qui sibi **ipsi** non sapit. Je déteste le sage qui n'est pas sage pour **lui-même**.

2 L'expression du lieu

▸ Les **compléments circonstanciels de lieu** :

ABLATIF

ACCUSATIF

Nom de ville, **sans** préposition

Lieu vers lequel on se dirige
Quo is ? **Où** vas-tu ?
• **In** hortum eo. Je vais **dans le jardin**.
• Eo **Romam**. Je vais **à Rome**.

Lieu où l'on est
Ubi es ? **Où** es-tu ?
• **In** horto ambulo. Je me promène **dans le jardin**.
• Sum **Athenis**. Je suis **à Athènes**.
• Sum **Romae**, sum **Lugduni**. Je suis **à Rome**, **à Lyon**. Sum **domi**. Je suis **à la maison**.

Point de départ
Unde venit ? **D'où** vient-il ?
• **Ex** horto exit. Il sort **du jardin**.
• Redeo **Roma**. Je reviens **de Rome**.

Pour les noms de ville (1re et 2e décl. sg.) et domus, i, f. on trouve le locatif (-ae, -i).

Lieu par où l'on passe (= à travers)
Qua iter facit ? **Par où** passe-t-il ?
• **Per** hortum iter facit. Il traverse (*passe à travers*) **le jardin**.

Lieu par où l'on passe (= moyen de communication : route, pont...)
Qua iter facit ? **Par où** passe-t-il ?
• Via **Appia** iter facit. Il passe **par la voie Appia**.

▸ Les **adverbes** liés aux pronoms-adjectifs démonstratifs :

Nec **hic** nec **illic** quies vobis erit.
Vous ne trouverez le repos ni **ici** ni **là-bas**.

Nec **istic** nec **alibi** quies tibi erit.
Ni **là** (= dans les circonstances où tu es) ni **ailleurs** tu ne trouveras le repos.

▸ Les **propositions subordonnées** introduites par les adverbes relatifs ubi (là où), ubicumque (partout où) :

Ubi tu dominus eris, ego domina ero. (Plutarque, formule rituelle du mariage romain)
Où tu seras, toi le maitre de maison, je serai moi, la maitresse.

Patria est **ubicumque** est bene. (Cicéron)
La patrie se trouve **partout où** on se sent bien.

Verbes à retenir

⇒ Voir Mémento **pp. 157, 159**

❯ **Eo, is, ire, ivi (ii), itum** : aller
Les verbes composés sur eo (abeo, adeo, etc.) se conjuguent comme lui.

❯ **Fero, fers, ferre, tuli, latum** : porter
Les verbes composés sur fero (adfero, confero, etc.) se conjuguent comme lui.

❯ **Volo, vis, velle, volui** : vouloir
Les verbes apparentés nolo, *je ne veux pas*, et malo, *je préfère*, se conjuguent comme lui.

❯ **Fio, fis, fieri, factus sum** : être fait, devenir
Ce verbe sert de passif au verbe facio, is, ere : faire.

EXERCICES **lienmini.fr/latin4-111**
Saisissez cette adresse dans votre navigateur
pour accéder à des **exercices interactifs**.

Connaitre les pronoms-adjectifs démonstratifs

❶ Identifiez les cas, genre et nombre de ces formes. Donnez toutes les possibilités.
illi • ejus • istis • haec • istud • ei • illius • hanc • ista • eae • ipsi • earumdem

❷ Traduisez chaque groupe (adjectif + nom), puis mettez-le à l'accusatif, au génitif et au datif en conservant le nombre.
iste miles • hae causae • illud tempus • eadem jura • hoc corpus • ista domina • hi cives • ipse consul

❸ Complétez chaque groupe par les formes de hic, iste et ille qui conviennent (cas, genre, nombre) suivant le modèle.

longum iter ➜ **hoc, istud, illud** longum iter

ferocem virum • clari duces • ingentium vitiorum • forti corpore • gravibus laboribus

❹ Recopiez ces phrases, soulignez les adjectifs-pronoms démonstratifs, puis traduisez en respectant leur sens précis.
1. Haec domus mea est, illa amici mei.
2. In hunc locum milites conveniunt, duces in illum, sed adversus eosdem hostes pugnabunt.
3. Illius urbis viri clarissimi erant feminaeque ipsae fortissimae.
4. Isti duci milites non parent.

Connaitre l'expression du lieu

❺ a. Traduisez la question puis choisissez la bonne réponse.
b. Traduisez la phrase obtenue.
1. Quo ibunt ? – In (*urbs, urbem, urbe*) ibunt.
2. Unde redibatis ? – Ex (*urbem, urbis, urbe*) amici mei redibant, ego autem (*Romam, Romae, Roma*) redibam ; nunc (*hic, istic, illic*) in (*villa mea, villam meam, villae meae*) cenamus.
3. Ubi vivis ? – In (*Italia, Italiae, Italiam*), (*Roma, Romam, Romae*) vivo.
4. Qua iter facies Roma Brundisium ? – Per (*Italia, Italiam, Italiae*) ac (*viam Appiam, viae Appiae, via Appia*) iter faciam.

❻ Aenigma

Amphitruonis servus sum.
Mercurius deus me adsimulavit.

Sum : ○ *Sopor* ○ *Sosia* ○ *Simplex*.

Lire, comprendre, traduire

❼ a. Lisez les phrases et complétez-les avec les pronoms-adjectifs qui conviennent.
iste • haec • eodem • ipsi • hoc • idem • illo • hic
b. Traduisez les phrases.
1. ... gaudio beneficium accipere et dare debemus.
2. ... amor, ... patria, ... munus sunt mihi.
3. Quod aliis vitio vertitis ... facere ... non debetis.
4. In ... tempore homines sine labore omnia impetrabant.
5. Amoris vulnus sanat ... qui facit.
6. Quamdiu etiam furor ... tuus nos eludet ? (Cicéron, *Contre Catilina*, I, 1)
7. Verus amicus est tamquam alter ... . (Cicéron, *De l'amitié*, XXI, 80)

❽ Traduisez en suivant le guide.

> ❭ Repérez les verbes, identifiez les temps et les voix.
> ❭ Repérez les sujets et les COD.
> ❭ Repérez les propositions infinitives.

1. Aeschylus tragoediae pater fuit. 2. Magno ardore fabulas scripsit histrionibusque non solum personas sed etiam cothurnos dedit. 3. Multi dicunt unum histrionem omnes partes antea egisse sed Aeschylum secundum histrionem in scaenam duxisse. 4. Deinde Sophocles discipulus Aeschylo fuit tertiumque histrionem in scaenam duxit. 5. Euripides tandem spectatores non solum Graecos sed etiam Romanos delectavit. 6. Antiquorum poetarum tragicorum fabulas semper possumus legere.

❾ Sententia

Plaudite ! Acta est fabula !

Apprenez par cœur cette citation et choisissez l'explication qui convient.

(D'après Suétone, *Vie d'Auguste*, XCIX, 1)

Selon la tradition, ces mots prononcés par l'empereur Auguste le 19 aout 14 après J.-C. étaient : ○ *sa devise* ○ *sa plaisanterie préférée* ○ *ses dernières paroles avant de mourir*.

Reconnaitre un verbe, des préfixes

10 De nombreux verbes sont formés sur **eo** augmenté d'un préfixe.

a. Associez chaque forme verbale latine (colonne 2) à son verbe à la 1re personne du présent de l'indicatif (colonne 1) et à sa traduction (colonne 3). Si vous hésitez, aidez-vous des modes, temps, personnes.

b. Trois de ces verbes sont souvent utilisés par euphémisme pour signifier *mourir* : relevez-les.

abeo [ab- : éloignement, séparation]	rediens	ils s'étaient approchés
adeo [ad- : vers]	obiit	entrez
ambio [ambi- : des deux côtés]	interierunt	il est sorti
anteeo [ante- : devant]	subeunt	nous traverserons
circumeo [circum- : autour]	praeibis	ils marchaient devant
exeo [ex- : hors de]	perii	va-t'en
ineo [in- : dans]	ambitis	ils subissent
intereo [inter- : au milieu]	inite	en rentrant
obeo [ob- : au-devant, en face, en échange]	circumire	il est allé au-devant de sa fin
pereo [per- : jusqu'au bout, achèvement]	abi	contourner
praeeo [prae- : à l'avant]	transibimus	ils ont disparu
redeo [red- : en arrière]	adierant	tu précèderas
subeo [sub- : dessous]	exit	je suis perdu
transeo [trans- : par-delà]	anteibant	vous faites le tour

11 Sens propre, sens figuré

Le nom latin persona, *ae*, f. désigne d'abord le masque porté par un acteur (p. 133) : il vient de l'étrusque *phersu*, sur le modèle du grec πρόσωπον, littéralement « ce qu'on porte à côté (πρός) de l'œil (ὤφ) », donc « sur le visage », d'où *masque*. Il signifie ensuite le rôle que l'acteur interprète sous le masque et enfin l'individu avec son propre caractère. Complétez les définitions avec des mots français issus du nom persona.

> Individu appartenant à l'espèce humaine → ...

> Individu réel ou fictif qui joue un rôle dans une histoire → ...

> Action de représenter une chose ou une notion abstraite sous les traits d'un être humain → ...

> Ensemble des éléments qui caractérisent un individu → ...

L'arbre à mots

12 Les mots suivants sont les fruits de l'arbre à mots : encadrez leur radical et notez le numéro de leur branche.

enfance • aphone • confession • téléphone • infâme • blasphème • fameux • prophète • diffamation • cacophonie • fatalité • infantile • euphémisme • fatidique • professeur

13 Complétez les définitions avec des mots de l'exercice **12**.

1. celui qui transmet la parole des dieux ou annonce l'avenir : ... .

2. qui est privé de l'usage de la voix : ... .

3. qui est indigne : ... .

4. qui est fixé par le destin : ... .

5. qui concerne les enfants en bas âge : ... .

6. atténuation d'une réalité déplaisante par une expression adoucie : ... .

7. atteinte à la réputation ou à l'honneur de quelqu'un : ... .

8. parole injurieuse à l'égard de ce qui est sacré : ... .

9. aveu devant témoin(s) : ... .

10. mélange de sons discordants, désagréables à l'oreille : ... .

14 Que signifient les mots *fame* et *famous* en anglais ?

15 « À Rome, nous étions trois sœurs, les Tria Fata, personnifiant le destin. Dans les contes, nous avons des pouvoirs surnaturels. **Qui sommes-nous ?** »

Les _ _ _ _ *(4 lettres)*

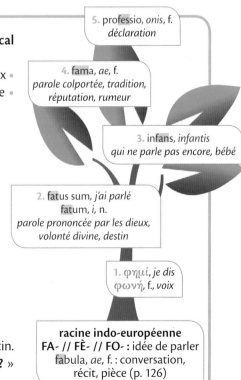

> 5. professio, *onis*, f. *déclaration*

> 4. fama, *ae*, f. *parole colportée, tradition, réputation, rumeur*

> 3. infans, *infantis qui ne parle pas encore, bébé*

> 2. fatus sum, *j'ai parlé* fatum, *i*, n. *parole prononcée par les dieux, volonté divine, destin*

> 1. φημί, *je dis* φωνή, f., *voix*

> **racine indo-européenne FA- // FÈ- // FO- :** idée de parler fabula, *ae*, f. : conversation, récit, pièce (p. 126)

Culture — Des spectacles pour tous les gouts

Les ludi scaenici, les « jeux » donnés sur une scène (scaena), offrent des spectacles variés.

•••••Théâtre grec, théâtre romain

Art de la représentation par excellence, le théâtre (θέατρον, « l'espace où on voit », de θέα, « l'acte de regarder ») est né en Grèce au VIe siècle avant J.-C.

À Athènes, il est une institution à la fois politique et culturelle : les auteurs de **tragédies** (Eschyle, Sophocle, Euripide) mettent en scène de grands héros de la mythologie, rois et princes, dont les malheurs invitent à méditer sur le destin, sur la place de l'homme dans la cité, sous le regard des dieux.

Les auteurs de **comédies** (Aristophane, Ménandre) s'amusent à dénoncer le ridicule de leurs concitoyens. Les dialogues des acteurs (3 hommes tenant tous les rôles), masqués et costumés selon des codes dramatiques précis, alternent avec les chants et les danses du chœur (une troupe de quinze hommes), accompagnés à la flute.

Transplanté à Rome, au moment où la cité s'impose en Méditerranée (pp. 72-73), le théâtre d'inspiration grecque devient un divertissement inscrit dans le programme des ludi (p. 122). Deux auteurs se distinguent alors tout particulièrement dans le genre comique : Plaute et Térence. Les représentations ont lieu en plein air, sur des estrades en bois que l'on monte et démonte pour la circonstance.

En **55 avant J.-C.**, Pompée, homme politique puissant, fait construire **le premier théâtre permanent**, en marbre, sur le Champ de Mars à Rome : il offre 27 000 places assises.

① Mosaïque de la maison du Poète tragique à Pompéi, Ier siècle, Musée archéologique de Naples.

••••••••••••••Des tenues codifiées

② Statuette en ivoire trouvée à Rieti (Italie), Bibliothèque du Petit Palais, Paris.

Divers accessoires sont destinés à donner de la majesté aux **personnages tragiques** : chaussures à semelles très épaisses (cothurnes) et coiffures tout en hauteur (onkos), masques aux sourcils arqués vers le haut, yeux écarquillés, bouche grande ouverte exprimant l'horreur et la terreur, manteaux et grandes robes longues. Les couleurs sont aussi symboliques : blanche pour les vieillards, jaune pour les femmes, rouge pour les rois et les dignitaires…

En fonction de leurs rôles, les **acteurs comiques** portent des chaussures plates, des tuniques courtes avec d'épais rembourrages (ventre, poitrine), des masques grimaçants. Grâce à cette codification, les spectateurs, même installés dans les gradins les plus éloignés, pouvaient reconnaitre les personnages.

❶ La mosaïque (doc. ①) représente les préparatifs d'un spectacle : décrivez la scène (personnages, objets).

❷ À votre avis, quel est le rôle du personnage assis ? Que font les autres ?

❸ Quelles caractéristiques du théâtre grec repérez-vous ?

❹ Décrivez la statuette (doc. ②) : quelles caractéristiques retrouvez-vous ? Que représente-t-elle ?

••La grosse farce

En matière de « jeu scénique », ce que le public populaire romain préfère, ce sont les grosses farces en forme de sketchs improvisés qu'on appelle atellanes (elles seraient venues de la petite ville d'Atella, en Campanie). On rit beaucoup aux aventures stéréotypées de leurs personnages grotesques : goinfre bavard (Bucco, « Grande Bouche »), bouffon stupide (Maccus, « le Niais »), vieux gâteux et avare (Pappus, « Grand-père »), filou malicieux (Dossenus, « le Bossu »), ogre terrifiant (Manducus, « Mâchoire »).

À la fin de la République, la mode est au mime, un genre de spectacle fait de dialogues improvisés, mimés et dansés, tandis que les adaptations des grandes tragédies grecques attirent le public cultivé. Tous les rôles sont tenus par des esclaves ou des affranchis, car le métier d'acteur est considéré comme dégradant.

③ Statuette en terre cuite (H. : 23 cm) provenant d'Italie, Iᵉʳ siècle avant. J.-C., musée du Louvre, Paris.

Polichinelle (de pullicenus, petit poulet) est l'un des personnages principaux de la *commedia dell'arte* : c'est un valet d'origine paysanne, bossu par-devant et par-derrière, gourmand, tantôt balourd et naïf, tantôt rusé et spirituel.

❺ Observez la statuette (doc. ③) : elle représente un personnage de l'atellane. Lequel ?

❻ Quel indice vous a permis de répondre ? Quel trait de caractère souligne-t-il ?

❼ Les farces romaines sont l'ancêtre de la *commedia dell'arte* (doc. ④) : faites une recherche et présentez ce genre théâtral venu d'Italie (personnages, intrigues).

❽ Nommez les types de l'atellane qui sont à l'origine du personnage ④.

④ Polichinelle, illustration de Maurice Sand dans *Masques et bouffons*, comédie italienne, 1860, Casa Goldoni, Venise.

APPRENTI ARCHÉOLOGUE

Largement percés pour les yeux et la bouche, agrémentés de perruques variées, les masques étaient fabriqués en matériaux périssables (bois, cire, cuir) : il n'en reste aujourd'hui que des reproductions en terre cuite, utilisées comme objets de décoration, ou des représentations sur les fresques et les mosaïques. Au IIᵉ siècle, le grammairien Julius Pollux dressa une liste de masques correspondant à 76 personnages : 44 modèles pour la comédie, 28 pour la tragédie, 4 pour le drame satyrique (*Onomasticon*, livre IV).

→ **Identifiez chaque type de masque et rendez-lui sa légende.**

Masque en terre cuite : type comédie (miles gloriosus) • Masque sur une mosaïque pompéienne : type tragédie (roi) • Masque sur une fresque pompéienne : type drame satyrique (vieux satyre) • Masque en terre cuite : type atellane (Bucco) • Masque en terre cuite : type tragédie grecque (princesse)

Chapitre **12**

Les jeux de l'arène

Les Romains se passionnent pour des spectacles dont les vedettes sont des hommes diversement armés qui risquent leur vie en combattant.

Lecture

Des modèles de bravoure

Homme politique, avocat et philosophe, Cicéron voit dans le comportement des gladiateurs des exemples à méditer.

Gladiatores, aut perditi[1] **homines aut barbari**, quas plagas perferunt ! Quo modo illi qui bene instituti sunt **accipere pla-gam malunt** quam turpiter vitare ! Quam
5 saepe apparet nihil eos malle quam **vel domino** satis facere **vel populo** ! Mittunt **etiam vulneribus confecti ad dominos** qui quaerant quid velint ; si satis eis factum sit, se velle decumbere. Quis **mediocris**
10 **gladiator ingemuit**, quis **vultum mutavit umquam** ? Quis **non modo stetit, verum etiam decubuit turpiter** ? Quis, cum de-cubuisset, ferrum recipere jussus **collum contraxit** ? Tantum **exercitatio, meditatio,**
15 **consuetudo** valet. Ergo hoc poterit Sam-**nis**, *spurcus homo, vita illa dignus locoque*, vir natus ad gloriam ullam partem animi tam mollem habebit, quam non **meditatione et ratione** conroboret ? <u>Crudele gladiatorum</u>
20 **spectaculum et inhumanum** non nullis videri solet, et haud scio an ita sit, ut nunc fit. **Cum vero sontes ferro depugnabant,** auribus fortasse multae, **oculis quidem nulla poterat esse fortior contra dolorem**
25 **et mortem disciplina.**

Marcus Tullius Cicero,
Tusculanae Disputationes, liber secundus.

, quels coups ils sont capables de supporter jusqu'au bout ! De quelle manière ceux qui ont été bien entraînés ▨ que de l'esquiver honteusement !
5 Comme il apparaît souvent que ceux-ci ne préfèrent rien plus que de satisfaire ▨ ! ▨ des gens pour demander ce qu'ils veulent ; [ils leur font dire que] si cela a été suffisant pour eux, ils acceptent de se laisser tomber à terre [pour attendre la mort]. Quel ▨ ?
10 Lequel ▨ ? Lequel ▨ , ▨ ? Lequel, alors qu'il s'était allongé à terre, ayant reçu l'ordre de recevoir le fer [le coup de glaive mortel], ▨ ? Tant sont
15 puissants ▨ . ▨ , *un homme répugnant, digne de cette vie-là et de cette condition-là*, [alors que] un homme né pour la gloire aura une partie de l'esprit si ramollie qu'il ne pourrait pas la fortifier ▨ ?
20 ▨ paraît habituellement à un certain nombre de personnes, et je ne sais s'il l'est effectivement comme il se fait aujourd'hui. ▨ , il y avait peut-être beaucoup de leçons [à en tirer] pour les oreilles, ▨
25 ▨ .

Cicéron (106-43 avant J.-C.),
Tusculanes, II, 17, 41.

1. perditus : participe passé passif du verbe perdere (détruire, ruiner). Il arrivait que des hommes libres, qualifiés de *perdus*, c'est-à-dire ruinés et déchus de tout droit civique, choisissent de devenir gladiateurs pour tenter leur chance comme des sportifs professionnels. Cependant, la plupart des gladiateurs étaient des prisonniers de guerre et des esclaves d'origine étrangère, d'où le terme de barbari (*barbares*, au sens de *non Romains*).

crudelis, e : cruel

Formé sur le nom **cruor**, *oris* (m.) qui désigne le sang rouge, le sang qui coule, cet adjectif signifie d'abord « qui fait couler le sang » au sens concret, puis dans un sens plus abstrait « cruel, dur, inhumain ».

Écoutez les textes du chapitre à cette adresse :
lienmini.fr/latin4-120

Mosaïque avec plusieurs scènes de combats dans l'amphithéâtre (224,6 x 540,1 cm) découverte près de Rome (détail), env. 320 après J.-C., Galerie Borghèse, Rome.

MNE

Une **étude d'œuvre** pour découvrir les différentes scènes de la mosaïque.

PEAC

Étymologie

Tandis que *cruor* signifie « le sang qui coule », *sanguis, is*, m. désigne le sang comme force vitale et comme lien de parenté.

a. À quel nom latin rattachez-vous l'adjectif *crudus, a, um*, saignant (non cuit) ? Quel adjectif français en est issu ?

b. Quel est le point commun entre *cruauté* et *crudité* ? Définissez les deux mots.

c. Les mots suivants, sauf deux, ont aussi un point commun : lequel ? Éliminez les intrus.
sanguinaire • sanglier • sanguinolent • ensanglanter • sangloter • consanguin • sangsue

Comprendre le texte et l'image

1 Lisez à haute voix le texte latin.

2 Complétez la traduction des mots latins en gras.

3 Qui étaient les gladiateurs ? Relevez les mots latins qui le précisent.

4 Cicéron rapporte l'opinion générale du public sur les gladiateurs (mots en italique, l. 16) : comment sont-ils considérés ? Comment de son côté les considère-t-il ?

5 Relevez en français puis en latin les trois noms qui expliquent la force des gladiateurs selon Cicéron (l. 14-15).

6 Relevez en français puis en latin les deux adjectifs qui qualifient les spectacles de gladiateurs selon certaines personnes (l. 19-20). Qu'en pense Cicéron ?

7 Décrivez la scène sur la mosaïque : quels types d'armement portent les gladiateurs ?

8 Nommez le vainqueur (vic = victor) : quel geste fait-il ? Nommez les deux vaincus à terre.

9 D'après ce que vous observez, quels types de combats avaient lieu dans l'amphithéâtre ?

APPRENDRE

▌ La **phrase simple** comporte **une proposition** construite autour d'un verbe avec son sujet : elle est dite « indépendante » car elle se suffit à elle-même.

▌ La **phrase complexe** comporte **deux propositions ou plus**.
À l'intérieur de la phrase complexe, les propositions peuvent être **juxtaposées** (sans mot « outil » coordonnant), **coordonnées** (avec mot « outil » coordonnant), ou **subordonnées** (avec ou sans mot « outil » subordonnant),

▌ La proposition **subordonnée** complète la proposition dite « **principale** » dont elle dépend.

Attention ! Une proposition subordonnée peut, à son tour, être complétée par une autre subordonnée.

1 Les propositions coordonnées

▌ Dans la phrase complexe, les propositions peuvent être **coordonnées** par des **mots « outils »** **coordonnants invariables** qui indiquent divers modes de **relation logique**.

Relation	Mots coordonnants
Addition	et, ac, atque, -que : et
Addition avec négation	nec, neque : et … ne… pas
Disjonction (alternative)	aut… aut…, vel… vel… : ou … ou
Opposition	sed, verum, at, vero, autem : mais ; tamen : pourtant
Cause	nam, enim : car, en effet
Conclusion, conséquence	ergo, igitur, itaque : donc, c'est pourquoi

Gladiatores plagas perferebant : mortem **enim** non timebant.
Les gladiateurs supportaient les coups jusqu'au bout : **en effet**, ils ne craignaient pas la mort.

▌ Ces **mots coordonnants** peuvent aussi relier entre eux des groupes de mots de nature identique à l'intérieur d'une proposition, ou encore des phrases entre elles.

Gladiatores **aut** perditi homines **aut** barbari sunt.
Les gladiateurs sont **ou bien** des hommes perdus **ou bien** des barbares. (Cicéron)

Gladiatores omnes **nec** servi **nec** barbari erant. Nonnulli **enim** cives perditi erant.
Les gladiateurs **n'**étaient **pas** tous des esclaves **ni** des barbares. Quelques-uns **en effet** étaient des citoyens ruinés.

2 Les propositions subordonnées

La proposition subordonnée infinitive

▌ **Complément essentiel**, elle complète directement (sans mot « outil » subordonnant) un verbe exprimant la **déclaration**, la **perception**, l'**opinion**, la **volonté**.

sujet, toujours exprimé, à l'**accusatif**   VERBE à l'**infinitif**

Dominus [gladiatorem **pugnare**] jubet.
Le maitre ordonne [que le gladiateur **combatte**].

L'ablatif absolu

▌ **Complément non essentiel**, il est construit sans mot « outil » subordonnant.

Sujet du participe à l'**ablatif**, toujours différent du sujet du verbe principal

Gladiatoribus pugnantibus, spectatores clamant.
Les gladiateurs combattant (= pendant que les gladiateurs combattent), les spectateurs poussent des cris.

Participe qui s'accorde en genre, en nombre et en cas (ablatif) avec le sujet

Les propositions subordonnées introduites par un subordonnant

▶ Elles apportent des **informations complémentaires** sur l'action exprimée par le verbe principal.

• Le temps (p. 119)

Outil de subordination : conjonctions **cum, ubi, ut** (quand, lorsque), **ut primum, ubi primum** (dès que), **antequam / postquam** (avant que / après que)

→ VERBE à l'**indicatif**

[**Ut primum** gladiatores in arenam **intrant**,] omnes clamant.
[**Dès que** les gladiateurs **entrent** dans l'arène,] tous crient.

• La cause

Outils de subordination : conjonctions **quod, quia** (parce que), **quoniam** (puisque)

→ VERBE à l'**indicatif**

Dominus gladiatorem laudat [**quod** victoriam **reportavit**].
Le maitre félicite le gladiateur [**parce qu'il a remporté** la victoire].

• La comparaison

Outils de subordination : conjonctions et adverbes corrélatifs **sicut, velut** (comme, ainsi que), **ut... ita, ita...ut, sic... ut** (de même que... de même)

→ VERBE à l'**indicatif**

[**Ut** gladiator fortiter **pugnat**,] **ita** decumbit.
[**De même que** le gladiateur **combat** courageusement,] **de même** il se laisse tomber à terre.

• Le lieu (p. 129)

Outils de subordination : adverbes relatifs **ubi** (où), **ubicumque** (partout où)

→ VERBE à l'**indicatif**

[**Ubicumque pugnant**,] gladiatores spectatorum clamores suscitant.
[**Partout où ils combattent**,] les gladiateurs suscitent les acclamations des spectateurs.

---

3 L'emploi des temps

▶ Dans la phrase complexe, le **temps de la subordonnée** dépend du **temps de la proposition principale.**

PRINCIPALE	SUBORDONNÉE		
présent ou futur	indicatif **présent** ou **futur**	Gladiatores clamores **suscitant** quia aequaliter **pugnant**. Les gladiateurs **suscitent** les acclamations parce qu'ils **combattent** de la même façon.	L'action de la subordonnée se passe **en même temps** que celle de la principale.
	indicatif **imparfait** ou **parfait**	Gladiatores clamores **suscitaverunt** quia aequaliter **pugnabant**. Les gladiateurs **suscitèrent** les acclamations parce qu'ils **combattaient** de la même façon.	
	indicatif **parfait**	Palmam **accipiunt** cum victoriam **reportaverunt**. Ils **reçoivent** la palme quand ils **ont remporté** la victoire.	L'action de la subordonnée s'est passée **avant** celle de la principale.
temps du passé	indicatif **futur antérieur**	Palmam **accipient** cum victoriam **reportaverint**. Ils **recevront** la palme quand ils **auront remporté** la victoire.	
	indicatif **plus-que-parfait** ou **infinitif parfait** (dans l'infinitive) ou **participe parfait passif** (dans l'ablatif absolu)	Palmam **acceperunt** quia victoriam **reportaverant**. Ils **reçurent** la palme parce qu'ils **avaient remporté** la victoire.	

Exercices

EXERCICES lienmini.fr/latin4-121

Saisissez cette adresse dans votre navigateur pour accéder à des **exercices interactifs**.

Réviser la proposition infinitive

❶ Proposez deux traductions pour chaque phrase en tenant compte du temps de l'infinitif (**a.** et **b.**).

1. Spectatores clamant gladiator non **a.** vincere **b.** vicisse.

2. Audimus gladiatores in arena **a.** salutare **b.** salutavisse.

3. Cicero scripsit gladiatorem sine timore
a. pugnare **b.** pugnavisse.

❷ Identifiez les verbes avec leur sujet, puis traduisez. Attention aux temps !
Pour les **phrases 2** et **3**, deux traductions sont grammaticalement possibles : à vous de choisir !

1. Gladiatores mortis periculum maximum esse in arena sciebant.

2. In amphitheatro multi spectatores retiarium [retiarius, *ii*, m. : rétiaire, un type de gladiateur] mirmillonem [mirmillo, *onis*, m. : mirmillon, un type de gladiateur] in rete captum interfecisse eumque victoriae palmam recipere viderunt.

3. In theatro callidos servos dominos stultos ridere Romani saepe audiebant.

Réviser les emplois de *cum*

❸ **a.** Reconstituez six maximes attribuées au poète Publilius Syrus (Ier siècle avant J.-C.) en reliant les pièces de puzzle entre elles.

1 Caeci sunt oculi Les yeux sont aveugles	ambulare non potest. ne peut marcher.
2 Difficile est dolori Il est difficile pour la douleur	cum te felicem vocas. quand tu te dis heureux.
3 Citius venit periculum Le danger vient plus vite	cum animus alias res agit. lorsque l'esprit s'occupe d'autre chose.
4 Malus ipse fiet Il deviendra méchant lui-même	convenire cum sapientia. de bien s'entendre avec la sagesse.
5 Irritas calamitatem Tu excites le malheur	cum id contemnimus. lorsqu'on le méprise.
6 Amor cum timore L'amour avec la crainte	qui convivit cum malis. celui qui vit avec les méchants.

b. Relevez tous les *cum* et classez-les en deux catégories selon leur emploi.

	Préposition avec ablatif	Conjonction de subordination
Phrases n°	...	...

❹ Aenigma

Ego mirmillonum galeae insum.
Sum : ○ *lupus* ○ *leo* ○ *piscis*.

Jean-Léon Gérôme, *Pollice verso* (détail), 1872.

Lire, comprendre, traduire

❺ **Gradatim**

À la fin de la République, une catégorie de gladiateurs est appelée Gallus (Gaulois), peut-être en souvenir des conquêtes de Jules César, puis mirmillo (mirmillon). Le grammairien Sextus Pompeius Festus (fin du IIe siècle après J.-C.) en donne une explication.

Lisez « pas à pas » et traduisez la deuxième phrase de chaque série.

1. Retiario pugnanti, spectatores cantant :
Retiario pugnanti adversus mirmillonem, spectatores in amphitheatro cantant :

2. « Non te peto. Quid [pourquoi] me fugis ? »
« Non te peto, piscem peto. Quid me fugis, Galle ? »

3. Hoc cantant quia Gallicum est genus.
Hoc cantant spectatores quia Gallicum est mirmillonum armaturae genus.

4. Mirmillonibus nomen erat.
Illis mirmillonibus Gallorum nomen ipsum ante erat.

5. Effigies galeis inerat.
Nam piscis effigies eorum galeis inerat.

❻ **Sententia**

Ave, imperator, morituri te salutant !

(Suétone, *Vie de Claude*, XXI)

On présente souvent ces mots comme le salut traditionnel des gladiateurs à l'organisateur des combats.

Choisissez la bonne traduction et apprenez par cœur la formule en latin.

Salut, ○ *général* ○ *spectateur* ○ *ami*,
ceux qui vont ○ *jouer* ○ *combattre* ○ *mourir*
te ○ *remercient* ○ *saluent* ○ *répondent* !

Reconnaitre un verbe, un nom, une famille

7 Le verbe ludo, is, ere, lusi, lusum signifie *jouer*, d'où le nom ludi pour désigner les jeux publics (p. 122). Complétez les phrases avec des mots français qui en sont issus et encadrez leur radical.

interlude • ludique • allusion • prélude • collusion • illusion • ludothèque

1. La pianiste vient d'interpréter un célèbre ... de Chopin.

2. Une peinture en trompe-l'œil produit une ... d'optique.

3. Les téléspectateurs attendent la suite de l'émission en regardant un ... .

4. L'avocat n'a pas voulu faire ... au passé de son client.

5. Vous pouvez emprunter des jeux de société dans une ... .

6. Ces hommes d'affaires soupçonnés de ... risquent une amende.

7. Après le travail, une activité ... permet de se détendre.

9 Sens propre, sens figuré

Le nom gladiator, *oris*, m. (gladiateur) vient de gladius, *ii*, m., qui désigne l'épée courte (le glaive) dont ce combattant est armé. Son diminutif gladiolus (poignard) a donné le nom d'une fleur dont les feuilles longues, étroites et pointues rappellent précisément la forme d'un glaive. Quelle est cette fleur ?

8 Le verbe munero, as, are, avi, atum signifie « donner en cadeau », d'où le nom munus, *eris*, n. (charge, don), pour désigner les combats de gladiateurs que les magistrats étaient chargés d'offrir au peuple. Encadrez le radical des mots suivants, donnez leur sens en lien avec leur étymologie et chassez l'intrus.

rémunérer   communiquer   munition   musicalité   immunité   commun   municipalité   rémunération

PUGNANT

10 Ce graffito découvert à Pompéi peut se lire comme le compte rendu d'un spectacle de gladiateurs qui a eu lieu dans la ville voisine de Nola au début du Iᵉʳ siècle après J.-C. (CIL IV 10237). Son auteur a rédigé pour vous une notice explicative.

Associez chaque lettre sur le dessin (A à G) à l'explication qui convient (1 à 7).

1 Munus Nolae de quadridu[o] M. Cominii Heredi[s].
• id significat Marcum Cominium Heredem (= L'Héritier) in urbe Nola munus dedisse per quattuor dies.

2 Spectatores sedentes videtis.

3 Pri[n]ceps Ner[onianus] XII) X V
• Princeps gladiatori cognomen est : id significat illum primum esse inter gladiatores (= Prince).
• Neronianus : id significat gladiatoris dominum principem Neronem (= l'empereur Néron) esse.
• XII : id significat gladiatorem jam proelia duodecim (XII) pugnavisse.
•) X (I ?) : id significat gladiatorem victoriae coronas ()) jam decem (X) vel undecim (XI ?) recepisse.
• V[ictor] : id significat gladiatorem in Nolae munere **victorem** fuisse.

4 Hilarus Ner[onianus] XIV) XII V
• Hilarus : gladiatoris cognomen est (Hilare = le Joyeux).
• Neronianus : gladiatori idem dominus (princeps Nero) est.
• XIV : gladiator jam proelia quattuordecim (XIV) pugnavit.
•) XII : duodecim victoriae coronas (litterae expunctae sunt) gladiator recepit.
• V[ictor] : victor est.

5 Creunus VII) V M
• Creunus (gladiatoris cognomen) jam proelia septem (VII) pugnavit, victoriae coronas quinque (V) recepit.
• M[issus] : id significat gladiatorem victoriam non reportavisse sed ex arena salvum **missum** esse. Aliae litterae expunctae sunt.

6 Gladiatores in arena pugnantes videtis. Thraecorum (= Thraces, type de gladiateurs) galea scutumque eis sunt.

7 Tres tibicines tibias inflantes videtis.

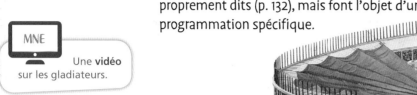

Culture — Dans l'amphithéâtre

Les Romains nomment munera des concours de luttes armées, hérités des Étrusques, qui ne figurent pas dans les ludi proprement dits (p. 132), mais font l'objet d'une programmation spécifique.

MNE
Une **vidéo** sur les gladiateurs.

·····Un rituel et un duel

Les Étrusques avaient pour coutume d'offrir divers spectacles lors des cérémonies funèbres : ils organisaient en particulier des duels à mort entre des prisonniers de guerre ou des esclaves, dont le sang versé était supposé apaiser l'esprit du défunt. Selon la tradition, cette coutume fut introduite à Rome en 264 avant J.-C. : pour les funérailles de leur père, deux fils firent combattre trois paires de gladiateurs sur le *Forum Boarium*, près du Tibre. Les riches Romains prirent ensuite l'habitude d'honorer ainsi leurs défunts et le peuple commença à se passionner pour ces spectacles sanglants, rapidement devenus des divertissements publics organisés dans de grandes occasions festives (commémorations, triomphes) par les magistrats romains à partir de 105 avant J.-C.

Les munera furent d'abord donnés sur les places publiques ou dans des enclos en bois montés pour l'occasion. Sous l'Empire, ils prennent place dans un édifice qui leur est spécialement dédié : l'amphithéâtre, dont le Colisée à Rome, inauguré en 80 après J. C., reste l'exemple le plus connu.

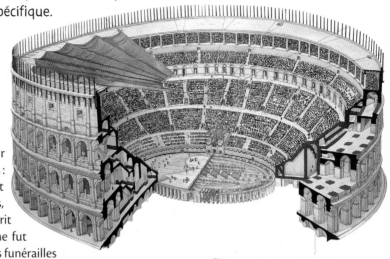

① Reconstitution du Colisée, illustration de Giorgio Albertini, 2006.

❶ Cherchez l'étymologie du nom *amphithéâtre*. Quelles sont les particularités de cet espace architectural (doc. ①) ?

❷ Sachant que le nom arena signifie sable, nommez l'espace où ont lieu les combats.

❸ Comment sont placés les spectateurs ? Quel dispositif les protège des intempéries ?

·····Le programme

② Mosaïque (détail), Galerie Borghese, Rome.

La matinée est réservée à la chasse (venatio), dont la mode est apparue à Rome en 186 avant J.-C. On peut voir les animaux les plus féroces (bestiae) et les plus exotiques se battre entre eux dans d'étonnants décors de jungle ; les fauves sont aussi confrontés à des prisonniers ou des esclaves entraînés à la chasse (bestiarii) : s'ils survivent, ils gagnent leur liberté. En guise d'entracte de midi, des criminels condamnés à la peine capitale doivent se battre jusqu'à la mort (voir Sénèque p. 144). Cependant, le « clou » du spectacle est la série des duels de gladiateurs qui occupent toute l'après-midi jusqu'à la nuit.

❹ Nommez le personnage sur la mosaïque (doc. ②) : à quelle catégorie de combattants appartient-il ? Comment est-il armé ?

❺ Quel est l'animal représenté ? Retrouvez-le page 135 : nommez en latin les deux types de combats ainsi mis en scène. Quelle est leur origine ?

••Les champions de l'arène

Qu'ils aient été prisonniers de guerre, esclaves ou hommes libres attirés par l'argent et la renommée, les gladiateurs sont admirés pour leur bravoure, comme en témoigne Cicéron (p. 134). Recrutés par un laniste (*lanista*), qui est leur propriétaire et directeur de combat, ils sont entrainés comme des sportifs professionnels dans des écoles près des amphithéâtres. Ils sont vendus ou loués pour des sommes parfois exorbitantes à celui qui offre le spectacle au peuple. Les meilleurs d'entre eux sont des stars, réclamées et acclamées par la foule : outre la palme de la victoire, ils touchent de grosses récompenses. S'ils réussissent à survivre, ils peuvent prendre une retraite bien méritée : on leur offre alors l'épée de bois (*rudis*) avec laquelle ils s'exerçaient.

③ Mosaïque romaine (détail), IVᵉ siècle après J.-C., Musée archéologique, Madrid.
Les combattants se nomment Astyanax (nom du fils d'Hector) et Kalendio. Le signe Ø rappelle la lettre thêta (θ), initiale de Θάνατος (la mort) mais symbolise aussi le verbe Obiit, « il a rencontré sa fin » (p. 131). Le directeur de combat arbitre avec une longue baguette.

Les types de gladiateurs

Les gladiateurs s'affrontent par paires tirées au sort : ils ont chacun une spécialité, déterminée par un type d'armement précis, qui était à l'origine celui des prisonniers de guerre venus des régions conquises par Rome (Samnites au sud de l'Italie, Thraces au nord de la Grèce). À la période impériale, les duels les plus fréquents opposent un rétiaire (*retiarius*) et son « poursuivant » (*secutor*).

• Le *retiarius* est le plus légèrement équipé : filet qui lui donne son nom (*rete*) et trident (*tridens*) comme un pêcheur, brassard gauche avec pièce de métal dressée pour protéger la tête (*galerus*), poignard (*gladiolus*).

④ Reconstitution d'un combat de gladiateurs aux Grands Jeux romains de Nîmes, 2012.

• Le *secutor* est plus armé : glaive (*gladius*), casque (*galea*), bouclier long et bombé (*scutum*), protection pour le bras droit (*manica*), jambière gauche (*ocrea*).
La poitrine d'un gladiateur n'est jamais protégée car un coup bien ajusté doit rester « fatal ».

❻ Nommez en latin et en français les trois types d'individus figurant sur la mosaïque (doc. ③).

❼ Nommez le gagnant et le perdant du combat. Quels indices vous permettent de répondre ?

❽ Qui retrouvez-vous sur la photographie (doc. ④) ? Décrivez le combat : quel moment précis est représenté ? Nommez en latin les pièces d'armement que vous reconnaissez.

APPRENTI ARCHÉOLOGUE

Les deux gladiateurs sont identifiés par leur surnom : l'un fait référence au héros mythologique grec Ajax « fils de Télamon » (Talamonius), l'autre à un métal précieux (aureus, « fait en or »).

→ Recopiez le nom du gladiateur vainqueur puis celui du vaincu : notez pour chacun d'eux les noms latins de leurs pièces d'armement et celui de leur spécialité.

→ Que signifie le symbole près du gladiateur allongé ?

→ Ce document a la même origine que ceux des pages 135 et 140 : rédigez sa légende iconographique précise.

Dossier

La passion des courses

Les ludi circenses (jeux du cirque) sont les spectacles les plus anciens et les plus populaires du monde romain.

Circus Maximus

Le circus (cirque) est un espace en forme d'anneau (κίρκος) aménagé pour les courses de chevaux et de chars. À Rome, le premier fut créé par le roi Tarquin l'Ancien : nommé Circus Maximus (« le Très Grand Cirque »), il est somptueusement aménagé sous l'Empire et peut accueillir jusqu'à 250 000 personnes.

Les courses de chars sont les plus spectaculaires. Conçus pour être les plus légers possible, les chars sont tirés par deux chevaux ou plus : plus le nombre est important, plus l'auriga (aurige, cocher) doit être chevronné.

Reconstitution du *Circus Maximus* à Rome.

À bride abattue

Depuis la loge d'honneur, l'editor (celui qui offre et préside les jeux) donne le départ en laissant tomber la mappa (un carré de tissu en forme de serviette). Les chars jaillissent des douze carceres (stalles). Les collisions et les accidents mortels sont fréquents, d'autant que tous les coups sont permis pour doubler un adversaire.

Une course compte sept tours de piste autour de la spina (mur central) encadrée par les metae (bornes coniques), soit 4 km dans le Grand Cirque de Rome, dans le sens inverse des aiguilles d'une montre. Sur la spina, sept dauphins de bronze sont abaissés l'un après l'autre en guise de compte-tour. On fait de même avec sept grosses boules en forme d'œuf.

Le poète Sidoine Apollinaire célèbre son ami Consentius de Narbonne, vainqueur d'une course de chars au Circus Maximus *le 1ᵉʳ janvier 440 après J.-C.*

Trop imprudent, ton adversaire veut te rattraper : il espère te dépasser pour être le premier, il coupe en oblique pour se lancer sur ton char. Ses chevaux s'effondrent, une multitude désordonnée de jambes, emportée par un élan violent, rentre dans les douze rayons des roues, et les freine ; les essieux obstrués font entendre un craquement ; les pattes des chevaux se brisent. Alors le cocher lui-même tombe la tête la première de son char qui l'écrase ; il souille le sable de son sang.

Sidoine Apollinaire (430-486 après J.-C.), *Poèmes*, XXIII « À Consentius », vers 405-415.

Course de chars, mosaïque, IIᵉ siècle après J.-C., Musée de la Civilisation gallo-romaine, Lyon.

❶ **Observez le Grand Cirque (doc. ①) :** repérez les gradins, la loge d'honneur, la spina, les metae, les carceres.

❷ **Nommez les éléments que vous retrouvez sur la mosaïque (doc. ②ₐ).**

❸ **Quel moment de la course voyez-vous sur le document ②ᵦ ?** Comparez avec le texte de Sidoine Apollinaire.

❹ **Décrivez la scène sur le document ③ :** nommez le type de char et son conducteur. Que tient-il à la main ? Quel moment de la course est représenté ?

Les étoiles du cirque

Comme les gladiateurs, les auriges sont des sportifs profession-nels : en général des esclaves, mais aussi des hommes libres qui ont choisi ce « métier » pour l'argent. Le poète Martial évoque la gloire de Scorpus, mort à l'âge de 27 ans dans un acci-dent, en 95 après J.-C., après avoir remporté 2 048 victoires (*Épigrammes*, X, 53).

Chaque aurige porte un casque de métal et une courte tunique qui affiche la couleur de sa *factio* (équipe) : vert, blanc, rouge ou bleu. Quatre *factiones* entrainent dans leurs haras les attelages (auriges et chevaux) qu'elles louent à l'organisateur des jeux. Les chevaux aussi sont des « stars » dont on acclame les noms.

Le gagnant est couronné de la palme de la victoire, puis fait un tour de piste sous les ovations des spectateurs.

③

Mosaïque provenant de Dougga, IVe siècle, musée du Bardo, Tunis.
On peut lire *Eros omnia per te* (Éros tout grâce à toi) ainsi que *Amandus* (Aimable) et *Frunitus* (Jouisseur).

Panem et circenses

Pour les Romains riches et ambitieux, offrir des jeux est un excellent outil de propagande : ils flattent le gout du peuple et occupent son temps de loisir, ce qui permet de lui ôter toute envie de revendication politique. Soucieux d'augmenter leur prestige, les empereurs dépensent aussi des sommes extraordinaires pour offrir des spectacles grandioses. Au IIe siècle, les *ludi* occupent 175 jours par an, dont 64 consacrés aux courses de chars, au rythme de 24 compétitions quotidiennes.

> Aujourd'hui, le peuple n'a plus que deux choses qu'il désire et qui le préoccupent : *panem et circenses* (du pain et des jeux au cirque).
>
> **Juvénal** (env. 65-130 après J.-C.), *Satires*, X, vers 80-81.

④

Alexander von Wagner, *La Course de chars*, 1882, Manchester Art Gallery, Royaume-Uni.

❺ Observez le décor (doc. ③) : que figure-t-il ? Citez le nom de deux chevaux.

❻ Que reproche le poète Juvénal au peuple de Rome ?

❼ Observez le document ④ : où se passe la scène ? Nommez les éléments du décor.

❽ Quels types de chars sont en compétition ? Décrivez les attelages.

Atelier de traduction

Mera homicidia sunt !

Sénèque écrit souvent à son ami Lucilius pour lui faire part de ses activités et de ses jugements. Il lui raconte ici son passage à l'amphithéâtre.

Casu in meridianum spectaculum incidi, lusus exspectans et sales et
aliquid laxamenti quo hominum oculi ab humano cruore acquiescant.
Contra est : quidquid ante pugnatum est misericordia fuit ; nunc **omissis**
nugis mera homicidia sunt. Nihil habent quo tegantur ; ad ictum totis
5 corporibus expositi numquam frustra manum mittunt. Hoc plerique
ordinariis paribus et postulaticiis praeferunt. Quidni praeferant ? non
galea, non scuto repellitur ferrum. Quo munimenta ? quo artes ? omnia
ista mortis morae sunt. Mane leonibus et ursis homines, meridie spectatoribus suis objiciuntur. Interfectores interfecturis [spectatores] jubent
10 objici et victorem in aliam detinent caedem ; exitus pugnantium mors
est. Ferro et igne res geritur. Haec fiunt dum vacat arena.

Sénèque (env. 4 avant J.-C.-65 après J.-C.), *Lettres à Lucilius*, livre I, lettre VII, 3-5.

Suivez le guide !

❶ Observez la ponctuation : repérez les questions insérées dans la description.

❷ Repérez les mots « outils » coordonnants.

❸ Repérez les verbes conjugués et identifiez leurs sujets.

❹ Repérez l'ablatif absolu, la proposition infinitive, la proposition circonstancielle.

❺ Traduisez phrase par phrase en utilisant le lexique et le vocabulaire donné par ordre alphabétique.

Préparez un commentaire

❻ Qui raconte ? Où et quand se situe ce qui est raconté ? Relevez les indices dans la première phrase.

❼ Repérez les mots et expressions précis qui expliquent ce que l'auteur attendait.

❽ Relevez l'expression (adjectif + nom) par laquelle il qualifie ce qu'il a vu réellement.

❾ Résumez son point de vue en relevant des mots précis. Quelle valeur particulière notez-vous dans l'expression omnia ista (l. 7-8) ?

❿ Repérez les répétitions dans les constructions. Que pensez-vous du rapprochement de mots interfectores/interfecturis ?

⓫ Résumez vos observations en quelques phrases : quel type de spectacle se passe en milieu de journée dans l'amphithéâtre ? Qu'en pense Sénèque ? Qu'en pense la foule des spectateurs ?

Vocabulaire pour traduire

acquiescant (subjonctif) : ils puissent se reposer de (ab + Abl.) • ad ictum : pour le coup (aux coups) • aliquid laxamenti quo : quelque divertissement grâce auquel • casu : par hasard • ferrum repellitur : le fer (= l'arme en fer) est repoussé • interfectores : les meurtriers (ceux qui ont déjà tué) • interfecturi : les meurtriers à venir (ceux qui vont tuer) • lusus et sales : des jeux et des représentations de bon gout • manum mittere : envoyer la main (= frapper) • objiciuntur : ils sont livrés à, ils sont exposés à (+ D.) • objici : être livrés à (verbe de la proposition infinitive, sujet interfectores) • quidni praeferant ? : pourquoi ne (le) préfèreraient-ils pas ? • quidquid ante pugnatum est : tout ce qui a été donné comme combat auparavant (sujet de fuit) • quo ? : à quoi (servent) • quo tegantur (subjonctif) : par quoi ils puissent être couverts (= pour se couvrir) • res geritur : l'affaire est réglée

Occide, verbera, ure !

Voici la suite de la lettre de Sénèque : des tirets ont été introduits pour vous aider à distinguer les différentes paroles de la foule que Sénèque a insérées dans son compte rendu.

Deux gladiateurs combattant sans armure, IIᵉ siècle, mosaïque romaine (détail), Musée de la Navarre, Pampelune (Espagne).

– Sed latrocinium fecit aliquis, occidit hominem.
Quid ergo ? quia occidit, ille meruit ut hoc pateretur ? Tu quid meruisti miser ut
5 hoc spectes ?
– Occide, verbera, ure !
– Quare tam timide incurrit in ferrum ? Quare parum audacter occidit ? Quare parum libenter moritur ?
– Plagis agatur in vulnera, mutuos ictus nudis et obviis pectoribus
10 excipiant !
Intermissum est spectaculum.
– Interim jugulentur homines, ne nihil agatur !
Age, ne hoc quidem intellegitis : **mala exempla in eos redundare qui faciunt.**

Sénèque, *Lettres à Lucilius*, livre I, lettre VII, 5.

Suivez le guide !

1 Observez la ponctuation : repérez les questions et les exclamations.

2 Repérez les verbes conjugués et identifiez leurs sujets.

3 Repérez les verbes à l'impératif.

4 Repérez la proposition infinitive (en gras).

5 Traduisez phrase par phrase en utilisant le lexique et le vocabulaire donné par ordre alphabétique.

Préparez un commentaire

6 Distinguez le commentaire de Sénèque des réactions de la foule. Comment Sénèque les rapporte-t-il ?

7 Quel est le point de vue de Sénèque ? Que veut-il dénoncer ? À qui s'adresse-t-il ? Sur quel ton ? Relevez des mots précis pour justifier votre réponse.

8 Repérez les répétitions dans les mots et les constructions.

9 Quelle est la conclusion de ce compte rendu ?

10 Résumez vos observations en quelques phrases, puis rédigez un commentaire d'ensemble : selon vous, qu'est-ce qui fait l'originalité et la force de ce texte ?

Vocabulaire pour traduire

aliquis : quelqu'un (parmi les gladiateurs), cet individu • excipiant (subjonctif exprimant l'ordre) mutuos ictus : qu'ils reçoivent des blessures mutuelles (= qu'ils se frappent mutuellement) • jugulentur : qu'(ils) soient égorgés • meruit ut hoc pateretur : il a mérité de subir ce châtiment • moritur : il meurt • ne nihil agatur : pour ne pas rester sans rien (à voir) • ne... quidem : ne... même pas • parum audacter/libenter : avec si peu d'audace/ si peu de bonne volonté • plagis agatur in vulnera : qu'on utilise les coups (= qu'on les frappe) pour les blessures (= pour les pousser à se blesser) • quare : pourquoi ? • qui : qui (pronom relatif, antécédent eos) • quid ergo ? : quoi donc ? • quid meruisti ut hoc spectes ? : qu'as-tu mérité pour regarder cela ? • tam timide : avec tant de timidité

Hercle ! Par Hercule !

✦ Dans la conversation courante, comme au théâtre, les Romains jurent beaucoup. Ils aiment prendre des dieux ou des héros célèbres comme témoins de ce qu'ils disent, pour garantir la sincérité de leurs paroles ou simplement pour exprimer leurs émotions. Il ne s'agit donc pas d'un comportement grossier ou d'un manque de politesse, mais plutôt d'une habitude de langage.

• **Par Jupiter : Per Jovem** (Acc.) ou **Jove** (Abl.).
Per Jovem juro me esse. (Plaute, Sosie)
Par Jupiter, je jure que je suis moi.

• **Par Hercule : hercle**, seul ou avec **me** (moi), **me hercule** ou **mehercules**, abrégé en **mehercle**.
Bene factum, hercle, et gaudeo. (Plaute)
Bien fait, par Hercule, et je m'en réjouis.

• **Par Pollux : edepol** !
Et tu, edepol, salve ! (Plaute)
Et toi, par Pollux, salut !

Furuncule ! Espèce de petit voleur !

✦ Les auteurs comiques aiment ponctuer les répliques de leurs personnages avec ce que nous appelons injures ou « gros mots ». On en trouve beaucoup d'exemples dans les pièces de Plaute, qui ont très souvent inspiré Molière (p. 147), mais aussi dans les graffitis découverts à Pompéi.

✦ **Les noms formés sur fur, *furis*, m.** (voleur) sont très fréquents dans les dialogues maitres / serviteurs.
• **furcifer**, *eri*, m. : pendard, c'est-à-dire voleur qui mérite d'être pendu à la furca (fourche, instrument de supplice pour les esclaves en cas de délit ou crime).
• **trifur**, *uris*, m. ou **trifurcifer**, *eri*, m. : triple pendard.
• **furunculus**, *i*, m. : petit voleur (diminutif péjoratif en -ulus).

✦ Voici **une énumération très « imagée »** avec un peu de grec :

At te Juppiter dique omnes perdant !
Fu ! Oboluisti allium !
Mais toi que Jupiter et tous les dieux t'exterminent !
Pouah ! Tu pues l'ail !
Germana illuvies, rusticus, hircus, hara suis,
Vrai tas d'ordures, paysan, bouc, étable pour les cochons,
caenum κόπρῳ commixtum !
mixture de boue et de fumier !

Plaute, *Mostellaria* (*Le Fantôme*), vers 38-41.

Agite ! C'est à vous !

1 Lisez à haute voix les répliques des acteurs sur l'illustration (voir p. 147).

2 Formez un groupe de 2 ou 3 acteurs et imaginez une scène animée où vous échangerez quelques jurons et « gros mots » avec humour et modération, dans les limites de la courtoisie !

Nota bene

Pensez à utiliser le vocatif, comme cet habitant de Pompéi :
Oppi, emboliari, fur, furuncule
Oppius, bouffon, voleur, petit voleur minable
(Basilique de Pompéi, CIL IV, 1949)

Un **emboliarius** est un acteur d'embolium (intermède), une sorte de pantomime qu'on jouait pendant les entractes, d'où le sens de *saltimbanque, clown, bouffon* (avec la nuance péjorative d'acteur « raté »).

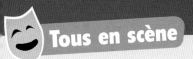

❶ Comparez le texte original de Plaute (*La Marmite*) et sa réécriture par Molière.

❷ Apprenez les textes par cœur et formez une équipe de trois acteurs : le premier et le deuxième jouent le texte de Plaute en alternant latin et français réplique par réplique, le troisième joue le texte de Molière.
Accompagnez votre présentation de divers jeux de scène mettant en valeur les textes.

Le vieil avare Euclion a trouvé par hasard dans sa maison une petite marmite (aulula) pleine d'or. Obsédé par la peur que son trésor soit découvert, il l'a enterré dans un bois, mais il soupçonne l'esclave Strobile de vol.

STROBILUS. – Quid me raptas ? Qua me causa verberas ?
Pourquoi me traines-tu ? Pour quelle raison me frappes-tu à coups de fouet ?
EUCLIO. – Verberabilissime, etiam rogitas, non fur, sed trifur !
Toi qui mérites le plus d'être fouetté, tu insistes encore à demander ? Non pas voleur, mais triple voleur !
STROBILUS. – Quid tibi surrupui ?
Qu'est-ce que je t'ai chipé ?
EUCLIO. – Redde huc sis [= si vis] !
Rends-le ici même si tu veux [= s'il te plait] !
STROBILUS. – Quid tibi vis reddam ?
Qu'est-ce que tu veux-tu que je te rende ?
EUCLIO. – Rogas ? […]
Tu poses la question ? […]
STROBILUS. – Non hercle equidem quicquam sumpsi nec tetigi.
Par Hercule, je n'ai assurément rien pris ni rien touché.
EUCLIO. – Ostende huc manus !
Montre ici tes mains !
STROBILUS. – Em tibi ostendi, eccas [= ecce eas].
Tiens, je te les ai montrées, les voici !
EUCLIO. – Video. Age, ostende etiam tertiam !
Je vois. Eh bien, vas-y, montre aussi la troisième !
STROBILUS. – Larvae hunc atque intemperiae insaniaeque agitant senem.
Les fantômes, les fureurs et les délires troublent ce vieillard.

Plaute, *Aulularia* (*La Marmite*), env. 194 avant J.-C., vers 632-642.

Louis de Funès
dans le rôle d'Harpagon, 1980.

MNE
Découvrez une autre scène « clé » de la pièce de Plaute reprise par Molière.

HARPAGON. – Hors d'ici tout à l'heure, et qu'on ne réplique pas. Allons, que l'on détale de chez moi, maitre juré filou, vrai gibier de potence !
LA FLÈCHE. – Je n'ai jamais rien vu de si méchant que ce maudit vieillard ; et je pense, sauf correction, qu'il a le diable au corps.
HARPAGON. – Tu murmures entre tes dents.
LA FLÈCHE. – Pourquoi me chassez-vous ?
HARPAGON. – C'est bien à toi, pendard, à me demander des raisons ; sors vite, que je ne t'assomme.

LA FLÈCHE. – Qu'est-ce que je vous ai fait ? […]
HARPAGON. – Attends. Ne m'emportes-tu rien ?
LA FLÈCHE. – Que vous emporterais-je ?
HARPAGON. – Viens çà, que je voie. Montre-moi tes mains.
LA FLÈCHE. – Les voilà.
HARPAGON. – Les autres.
LA FLÈCHE. – Les autres ?
HARPAGON. – Oui.
LA FLÈCHE. – Les voilà.

Molière, *L'Avare*, 1668, acte I, scène 3.

Lexique

A

abdicare se + Abl. : renoncer à (une fonction)

abeo, is, ire, ivi, itum : s'en aller, s'éloigner

ac : et

accipio, is, ere, cepi, ceptum : recevoir, apprendre

accuso, as, are, avi, atum : accuser

acies, *ei*, f. : la ligne de bataille ; le regard

ad + Acc. : vers, à

addo, is, ere, didi, ditum : ajouter

adduco, is, ere, duxi, ductum : attirer, conduire vers, mener à

adfero, fers, ferre, tuli, latum : apporter

adjuvo, as, are, juvi, jutum : aider

adpello, is, ere, adpuli, adpulsum : pousser (vers), diriger

adripio, is, ere, ripui, adreptum : saisir

adsimulo, as, are, avi, atum : rendre semblable, reproduire une forme

adsum, es, esse, adfui : être présent, aider

adversus + Acc. : contre

advolo, as, are, avi, atum : arriver en volant, se précipiter

aedes, *is*, f. : temple, sanctuaire

aeratus, a, um : qui est fait en airain (bronze)

aes, *aeris*, n. : bronze

aetas, *atis*, f. : époque, période, âge

ager, *agri*, m. : champ

agito, as, are, avi, atum : mettre en mouvement, poursuivre, harceler

agmen, *inis*, n. : troupe en marche

ago, is, ere, egi, actum : pousser en avant, agir, faire, exprimer

agricola, *ae*, m. : paysan

ait : dit-il, dit-elle

albus, a, um : blanc

alius, a, ud : autre, un autre

altus, a, um : élevé, haut

amicus, *i*, m. : ami

amo, as, are, avi, atum : aimer

amoenus, a, um : agréable, charmant

amor, *oris*, m. : amour

animadverto, is, ere, verti, versum : remarquer

animus, *i*, m. : esprit, âme

annus, *i*, m. : année

ante : (+ Acc.) avant ; (adverbe) avant, auparavant, autrefois

antea : auparavant

antequam : avant que

antiquus, a, um : ancien

anxius, a, um : très inquiet (+ G. au sujet de)

aperio, is, ire, aperui, apertum : ouvrir, découvrir

apis, *is*, f. : abeille

aqua, *ae*, f. : eau

aranea, *ae*, f. : araignée

arbitrium, *i*, n. : pouvoir, plaisir

arbor, *oris*, f. : arbre

ardor, *oris*, m. : feu, ardeur, passion

arduus, a, um : élevé, difficile

arena, *ae*, f. : sable, arène

arma, *orum*, n. : armes

armatura, *ae*, f. : ensemble des armes portées par un combattant, armement

ars, *artis*, f. : savoir-faire, talent, art

ascendo, is, ere, scendi, scensum : monter

at : mais, mais au contraire

atqui : eh bien ; pourtant

auctoritas, *ae*, f. : sens de l'autorité, pouvoir, volonté

audax, acis : audacieux

audio, is, ire, ivi, itum : entendre, écouter

augeo, es, ere, auxi, auctum : augmenter, développer

aureus, a, um : en or

aurum, *i*, n. : or

aut… aut : ou bien

autem : or, cependant, quant à

auxilium, *ii*, n. : aide, secours

avis, *is*, f. : oiseau

B

balineum, *i*, n. : bain

barbarus, a, um : barbare

bellum, *i*, n. : guerre

beneficium, *ii*, n. : service, bienfait

benignus, a, um : bienveillant

bestia, *ae*, f. : bête

bonus, a, um : bon

bos, *bovis*, m. ou f. : bœuf, vache

brutus, a, um : stupide

C

caecus, a, um : aveugle

caedes, *is*, f. : meurtre, massacre, carnage

callidus, a, um : rusé

candico, as, are : resplendir d'un blanc éclatant

canto, as, are : chanter

capio, is, ere, cepi, captum : prendre

carus, a, um : cher, aimé, estimé

cathedra, *ae*, f. : siège, chaise

causa, *ae*, f. : cause

celeritas, *atis*, f. : célérité, rapidité

cena, *ae*, f. : dîner, repas copieux

ceno, as, are, avi, atum : dîner

certamen, *inis*, n. : combat, lutte

certo, as, are, avi, atum : chercher à obtenir l'avantage, lutter

certus, a, um : décidé, résolu

cesso, as, are, avi, atum : suspendre son activité, être oisif, ne rien faire

civis, *is*, m. : citoyen

clades, *is*, f. : défaite

clam : en cachette ; (+ Acc.) à l'insu de

clamo, as, are, avi, atum : crier

clarus, a, um : célèbre

clavus, *i*, m. : gouvernail

cliens, *entis*, m. : client

collum, *i*, n. : cou

colo, is, ere, colui, cultum : cultiver, honorer, habiter

coma, *ae*, f. : chevelure

commodus, a, um : convenable, approprié

communicatio, *onis*, f. : action de communiquer (sermonis communicatio, échange de propos dans la conversation)

compleo, es, ere, plevi, pletum : remplir

comprehendo, is, ere, endi, ensum : s'emparer de, arrêter (quelqu'un)

concio, is, ire, concivi, concitum : assembler, réunir

concordia, *ae*, f. : concorde

conduco, is, ere, duxi, ductum : rassembler, réunir

conficio, is, ere, feci, fectum : faire, achever, accabler

confugio, is, ere, fugi : se réfugier, avoir recours à

conjugo, as, are, avi, atum : unir, marier

conjungo, is, eri, junxi, junctum : lier, unir

conjunx, *ugis*, f. : épouse

consaluto, as, are, avi, atum : saluer, échanger un salut

considero, as, are, avi, atum : considérer, examiner

consilium, *ii*, n. : conseil, avis, réflexion

conspicio, is, ere, spexi, spectum : regarder

consuetudo, *inis*, f. : habitude, coutume, usage

consul, *is*, m. : consul

contra + Acc. : contre

contraho, is, ere, traxi, tractum : tirer ensemble, contracter

convenio, is, ire, veni, ventum : venir ensemble, se rassembler

copia, *ae*, f. : abondance (pl. : richesses, troupes)

coram : en face, devant

corpus, *corporis*, n. : corps

cothurnus, *i*, m. : cothurne, chaussure montante

cras : demain

credo, is, ere, didi, ditum : croire

crudelis, e : cruel, inhumain, sanguinaire

crudelitas, *atis*, f. : cruauté

cruor, *oris*, m. : sang

cubo, as, are, ui, itum : être couché, dormir

culter, *tri*, m. : couteau

cum + Abl. : avec ; quand, dès que, lorsque, au moment où

cupio, is, ere, ivi (ii), itum : désirer

cura, *ae*, f. : soin

curia, *ae*, f. : curie, siège du Sénat à Rome

currens (participe curro) : en courant

curro, is, ere, cucurri, cursum : courir

curso, as, are, avi, atum : courir de-ci de-là

D

dea, *ae*, f. : déesse

debeo, es, ere, bui, bitum : devoir

decedo, is, ere, cessi, cessum : s'éloigner de, s'en aller (avec de, ex ou ablatif seul)

decem : dix

decerptus, a, um : (avoir été) cueilli(e)

decumbo, is, ere, cubui : tomber à terre, se coucher, succomber

defendo, is, ere, fendi, fensum : défendre

defero, fers, ferre, tuli, latum : emporter, déposer, dénoncer

deinde : puis, ensuite

delecto, as, are, avi, atum : attirer, charmer, faire plaisir à

deleo, es, ere, evi, etum : détruire

deletus, a, um : participe parfait passif de deleo

delicatus, a, um : charmant

demptus, a, um : (avoir été) détaché(e) de l'arbre

denuntio, as, are, avi, atum : porter à la connaissance, notifier

depugno, as, are, avi, atum : combattre avec acharnement

destruo, is, ere, struxi, structum : démolir, détruire

detergeo, es, ere, tersi, tersum : essuyer, nettoyer

detineo, es, ere, tinui, tentum : tenir éloigné, retenir

deus, *i*, m. : dieu

dico, is, ere, dixi, dictum : dire

dictator, *oris*, m. : dictateur

dicto, as, are, avi, atum : dire en répétant, dicter

dies, *ei*, m. et f. : jour

difficilis, e : difficile

digero, is, ere, gessi, gestum : diviser, séparer, distribuer

digitus, *i*, m. : doigt

diligentia, *ae*, f. : affection, amour

dirigo, is, ere, rexi, rectum : diriger

dirus, a, um : affreux

disciplina, *ae*, f. : enseignement, discipline

discutio, is, ere, cussi, cussum : fracasser, dissiper, écarter

dispensator, *oris*, m. : intendant

diu : longtemps

dives, vitis : riche

do, das, dare, dedi, datum : donner

doceo, es, ere, docui, doctum : enseigner, instruire

doctus, a, um : savant

dolor, *oris*, m. : douleur physique, souffrance

dolus, *i*, m. : ruse

domina, *ae*, f. : maitresse, souveraine

dominus, *i*, m. : maitre

domo, as, are, ui, itum : dompter

domus, *us*, f. : maison

doto, as, are, avi, atum : doter

duco, is, ere, duxi, ductum : conduire

dulcis, e : doux

dum : pendant que, jusqu'à ce que

durus, a, um : dur, choquant

dux, *ducis*, m. : chef

E

e, ex + Abl. : de, hors de

edo, is, ere, didi, ditum : faire sortir, publier

educo, as, are, avi, atum : élever, instruire

effigies, *ei*, f. : représentation, image

eligo, is, ere, legi, lectum : choisir

eludo, is, ere, elusi, elusum : se jouer de, esquiver, déjouer, gagner au jeu

emendo, as, are, avi, atum : effacer (une faute), corriger

emo, is, ere, emi, emptum : acheter

enim : car, en effet

eo, is, ire, ivi (ii), itum : aller

epistula, *ae*, f. : courrier, lettre

ergo : donc

erro, as, are, avi, atum : marcher au hasard, errer

et : et

etiam : même, aussi

evado, is, ere, vasi, vasum : s'échapper

ex (e) : de, hors de

excipio, is, ere, cepi, ceptum : recevoir

excito, as, are, avi, atum : faire sortir ; tirer de

exemplum, *i*, n. : exemple

exeo, is, ire, ii, itum : sortir de, partir

exercitatio, *onis*, f. : exercice (physique), pratique

exercitus, *us*, m. : armée

exhaurio, is, ere, hausi, haustum : vider en puisant

exigo, is, ere, egi, actum : mener jusqu'au bout, passer

exiguus, a, um : de petite taille, exigu, modeste

exitus, *us*, f. : sortie, issue

expello, is, ere, puli, pulsum : chasser, repousser

explicatio, *onis*, f. : explication

expono, is, ere, posui, positum : exposer, montrer

expungo, is, ere, punxi, punctum : rayer, biffer, effacer

exsilio, is, ire, silui, sultum : s'élancer hors de, sauter

exspecto, as, are, avi, atum : attendre

extimus, a, um : placé à l'extrémité, le plus éloigné

extraho, is, ere, traxi, tractum : extraire, retirer, ôter

F

fabula, *ae*, f. : légende

facilis, e : facile

facio, is, ere, feci, factum : faire

fama, *ae*, f. : renommée

familia, *ae*, f. : famille, ensemble des esclaves d'une maison

familiaris, e : familial, intime

favus, *i*, m. : rayon de miel, gâteau de miel

fecundus, a, um : fertile, riche

felis, *is*, f. : chat, chatte

femina, *ae*, f. : femme

fera, *ae*, f. : la bête sauvage

fero, fers, ferre, tuli, latum : porter

ferox, ocis : sauvage, féroce

ferrum, *i*, n. : fer, glaive

ferus, a, um : sauvage

fessus, a, um : fatigué

ficus, *i*, f. : figue

fides, *ei*, f. : confiance, loyauté, foi

fido, is, ere, fisus sum : se fier, croire

filia, *ae*, f. : fille

filius, *ii*, m. : fils

fio, fis, fieri, factus sum : devenir, être fait

flos, oris, m. : fleur

flumen, inis, n. : fleuve, rivière

foedus, eris, n. : traité, alliance

fons, *fontis*, m. : source, fontaine

fori, *orum*, m. pl. : pont d'un vaisseau

formose : d'une manière charmante

formosus, a, um : qui a de belles formes, charmant

fortis, e : fort, courageux

fortuna, *ae*, f. : sort, hasard

forum, *i*, n. : forum

foveo, es, ere, fovi, fotum : réchauffer, choyer, soutenir

frango, is, ere, fregi, fractum : briser

frigidus, a, um : froid

frons, *frondis*, f. : feuillage

frustra (adverbe) : en vain, pour rien

fugio, is, ere, fugi : fuir

fundo, is, ere, fusi, fusum : étendre, répandre, disperser

furor, oris, m. : fureur

G

galea, *ae*, f. : casque

gaudium, *ii*, n. : satisfaction, joie

genero, as, are, avi, atum : produire, créer

generosus, a, um : noble

gens, *gentis*, f. : race, famille

genus, eris, n. : origine, naissance, espèce

gero, is, ere, gessi, gestum : porter, accomplir, faire

gesticulatus, a, um : faisant des gestes comme un danseur

gigno, is, ere, genui, genitum : engendrer, faire naitre

gladiator, oris, m. : gladiateur

gladius, *ii*, m. : glaive, épée

gloriosus, a, um : qui aime la gloire, fanfaron

Graece (adverbe) : en grec

gratia, *ae*, f. : faveur, grâce

gratus, a, um : agréable

gravidus, a, um : chargé, lourd, enceinte (au féminin)

gravis, e : lourd, pénible

gubernator, oris, m. : timonier

H

habeo, es, ere, ui, itum : avoir

habito, as, are, avi, atum : habiter

hara, *ae*, f. : étable à porcs

hasta, *ae*, f. : javelot, lance

histrio, onis, m. : comédien

hodie : aujourd'hui

homicidium, *ii*, n. : homicide, meurtre

homo, inis, m. : homme (en tant qu'espèce)

hora, *ae*, f. : heure

hortus, *i*, m. : jardin

hostia, *ae*, f. : victime offerte en sacrifice

hostis, is, m. : ennemi

huc : ici

humanus, a, um : humain

humus, *i*, f. : terre

I

ibi : là

identidem (adverbe) : sans cesse

igitur : donc

ignavus, a, um : mou, lâche, poltron

ignis, is, m. : feu

imago, inis, f. : représentation, portrait, image

imperator, oris, m. : général

imperium, *ii*, n. : commandement, domination, souveraineté, empire

impetro, as, are, avi, atum : obtenir

impleo, es, ere, plevi, pletum : emplir

in + Acc. ou Abl. : dans

incido, is, ere, cidi : tomber sur, arriver

incipio, is, ere, cepi, ceptum : commencer, entreprendre

incola, *ae*, m. : habitant

incolo, is, ere, ui et cucurri : habiter

incurro, is, ere, curri, cursum : courir contre, se jeter contre, faire irruption dans

inde : de là, puis

induco, is, ere, duxi, ductum : introduire

indulgentia, *ae*, f. : bonté, bienveillance

inexorabilis, e : inexorable, sans pitié

Inferi, *orum*, m. pl. : les Enfers

infirmo, as, are, avi, atum : affaiblir

inflo, as, are, avi, atum : jouer de la musique en soufflant dans (+ Acc.)

ingemo, is, ere, gemui, itum : gémir

ingens, ntis : immense

inhumanus, a, um : inhumain, barbare, cruel

inquiete : sans repos

inquit : dit-il, dit-elle (incise)

inspicio, is, ere, spexi, spectum : regarder attentivement, examiner

instituo, is, ere, stitui, stitutum : établir, instituer

instrumentum, *i*, n. : instrument de travail, matériel, outillage

insula, *ae*, f. : ile

insum : être dans, sur + D.

intellego, is, ere, lexi, lectum : comprendre

intereo, is, ire, ii, itum : disparaitre, mourir

interficio, is, ere, feci, fectum : anéantir, détruire, tuer

interim : en attendant

intermissus, a, um : interrompu, suspendu

interrogo, as, are, avi, atum : interroger

intus : à l'intérieur

invenio, is, ire, veni, ventum : trouver, rencontrer

ipsemet : lui-même

ira, *ae*, f. : colère

iratus, a, um : en colère, irrité

ita : ainsi, de cette manière

itaque : c'est pourquoi

iter facere : faire route, voyager

iter, *itineris*, n. : chemin, trajet

J

jam : déjà, désormais

jubeo, es, ere, jussi, jussum : ordonner

judex, icis, m. : juge

judico, as, are, avi, atum : juger, décider

Juppiter, *Jovis*, m. : Jupiter

juro, as, are, avi, atum : jurer, faire le serment

jus, *juris*, n. : droit, justice

justus, a, um : juste

juvenis, is, m. ou f. : homme ou femme dans la pleine force de l'âge

L

labor, oris, m. : travail

laboro, as, are, avi, atum : travailler

lacrimo, as, are, avi, atum : pleurer

laetus, a, um : joyeux

lascivio, is, ire, ii, itum : folâtrer, jouer

lasso, as, are, avi, atum : fatiguer

Latine : en latin

latrocinium, *ii*, n. : vol à main armée

latus, *eris*, n. : côté (d'un lieu), flanc (d'un être vivant)

laudo, as, are, avi, atum : louer, vanter

laxamentum, *i*, n. : repos, répit

legatus, *i*, m. : légat, envoyé

legitimus, a, um : établi par la loi, légal, légitime

lego, as, are, avi, atum : envoyer en mission

lego, is, ere, legi, lectum : lire

leo, *onis*, m. : lion

levis, e : léger

lex, *legis*, f. : loi

libenter : volontiers, avec plaisir

liber, *bri*, m. : livre

liberi, *orum*, m. : enfants

libertus, *i*, m. : esclave affranchi

libum, *i*, n. : gâteau consacré (spécial pour les offrandes)

ligneus, a, um : qui est fait en bois

liquidus, a, um : liquide, clair, limpide

littera, *ae*, f. pl. : lettre, écriture

litterae, *arum*, f. : lettres

locus, *i*, m. : lieu

longitudo, *dinis*, f. : longueur

longus, a, um : long

lucerna, *ae*, f. : lampe

ludo, is, ere, lusi, lusum : s'amuser, jouer

M

maeror, *oris*, m. : tristesse profonde, chagrin

magister, *tri*, m. : professeur

magnus, a, um : grand

major, or, us : plus grand

malo, mavis, malle, malui : préférer

malum, *i*, n. : pomme

malus, a, um : mauvais

malus, *i*, f. : pommier

malus, *i*, m. : mât de navire

mane : le matin

maneo, es, ere, mansi, mansum : rester, attendre

mare, *maris*, n. : mer

maritus, *i*, m. : mari

mater, *tris*, f. : mère

maximus, a, um : le plus grand, très grand

mediocris, e : de qualité moyenne, ordinaire

meditatio, *onis*, f. : réflexion, méditation, préparation mentale

medius, a, um : au milieu

melior, ior, ius : meilleur

mellitus, a, um : qui est fait de miel

mensis, *is*, m. : mois

meridianus, a, um : de midi

meridie : à midi

merus, a, um : pur, sans mélange

mico, as, are, avi, atum : scintiller

miles, *itis*, m. : soldat

minimus, a, um : le plus petit, très petit

minister, *tri*, m. : serviteur, domestique

minor, or, us : plus petit

miser, era, erum : misérable, malheureux

misericordia, *ae*, f. : acte de compassion, de clémence

mitis, e : doux

mitto, is, ere, misi, missum : envoyer

moneo, es, ere, ui, itum : avertir

mons, *montis*, m. : montagne

monstrum, *i*, n. : monstre

mora, *ae*, f. : délai, retard

mors, *mortis*, f. : mort

motus, a, um (moveo) : poussé par

moveo, es, ere, movi, motum : faire bouger, mouvoir

mox : bientôt

multi, ae, a : nombreux

munimentum, *i*, n. : protection

munus, *eris*, n. : fonction, obligation, don, présent

murus, *i*, m. : mur, muraille, rempart

mus, *muris*, m. : souris

musca, *ae*, f. : mouche

muto, as, are, avi, atum : changer, échanger

mutuus, a, um : réciproque, mutuel

N

nam : car, en effet

narro, as, are, avi, atum : raconter

nato, as, are : nager

natura, *ae*, f. : ensemble des espèces et des phénomènes de l'univers, nature

naufragium, *i*, n. : naufrage

nauta, *ae*, m. : marin

navis, *is*, f. : bateau

neco, as, are, avi, atum : faire périr, tuer

nego, as, are, avi, atum : nier

nemo : personne ne …

neque : et ne… pas

nescio, is, ire, ivi (ii), itum : ignorer

nihil : rien… ne

nitidus, a, um : brillant, resplendissant

nolo, non vis, nolle, nolui : ne pas vouloir, refuser

nomen, *inis*, n. : nom

non modo (solum)… sed etiam : non seulement … mais encore

non : ne… pas

nondum : ne… pas encore

nosco, is, ere, novi, notum : apprendre ; pf. savoir

novacula, *ae*, f. : rasoir, couteau

novi (parfait de nosco) : je sais

novus, a, um : nouveau

nox, *noctis*, f. : nuit

nudus, a, um : nu

nugae, *arum*, f. pl. : bagatelles, balivernes

nullus, a, um : aucun (aucune) … ne

numero, as, are, avi, atum : compter

numquam : ne… jamais

nunc : maintenant

nupta, *ae*, f. : épouse

nympha, *ae*, f. : nymphe

O

objicio, is, ere, jeci, jectum : jeter devant

obsideo, es, ere, sedi, sessum : assiéger

obtineo, es, ere, tinui, tentum : maintenir, conserver

obvius, a, um : qui se trouve sur le passage, qui va au-devant

occido, is, ere, cidi, cisum : couper, abattre, tuer

occipio, is, ere, cepi, ceptum : commencer

oculus, *i*, m. : œil

odium, *ii*, n. : haine

odor, *oris*, m. : odeur, parfum

olim : autrefois, un jour

omitto, is, ere, misi, missum : abandonner, laisser aller

omnis, e : tout

opera, *ae*, f. : activité, occupation, travail

optime : très bien

optimus, a, um : le meilleur, très bon

oratio, *onis*, f. : discours

ordinarius, a, um : conforme à la règle, régulier

oro, as, are, avi, atum : parler, plaider, prier

ostendo, is, ere, tendi, tentum : présenter, montrer

P

pabulum, *i*, n. : fourrage, aliment

palma, *ae*, f. : palme

panis, *is*, m. : pain

par, *paris*, m. : paire (de gladiateurs)

parens, *tis*, m. et f. : père ou mère

pareo, es, ere, ui, itum : obéir

paro, as, are, avi, atum : préparer

pars, *partis*, f. : partie

parsus, a, um (participe parfait passif de parcere, épargner) : épargné, gracié

parvus, a, um : petit

pastor, *oris*, m. : berger

pater, *patris*, m. : père

patria, *ae*, f. : patrie

patronus, *i*, m. : patron

pauci, ae, a : peu nombreux

pavor, *oris*, m. : émotion qui fait perdre son sang-froid, anxiété, crainte

pax, *pacis*, f. : paix

pectus, *oris*, n. : poitrine, cœur

pecunia, *ae*, f. : argent

pejor, or, us : pire, plus mauvais

pendo, is, ere, pependi, pensum : peser, apprécier

perennis, e : qui dure toute l'année, durable

pereo, is, ire, ii, itum : disparaitre

periculum, *i*, n. : péril

peritus, a, um : expérimenté

pernicialis, e : pernicieux, mortel

persona, *ae*, f. : masque, rôle, caractère

pes, *pedis*, m. : pied

pessime : très mal

pessimus, a, um : le pire, très mauvais

peto, is, ere, ivi (ii), itum : chercher à atteindre, attaquer, aspirer à, demander

pictor, *oris*, m. : peintre

pictus, a, um : coloré

piger, gra, grum : paresseux

pingo, is, ere, pinxi, pictum : peindre

pinna, *ae*, f. : plume, aile

pirata, *ae*, m. : pirate

piscis, *is*, m : poisson

placatus, a, um : apaisé, bienveillant

placidus, a, um : doux, calme

plaga, *ae*, f. : coup, blessure

plaustrum, *i*, n. : charrette

plenus, a, um : plein, bien garni

plerique : la plupart, le plus grand nombre

plumula, *ae*, f. : petite plume, duvet

poeta, *ae*, m. : poète

pomum, *i*, n. : fruit

pono, is, ere, posui, positum : placer, servir à table

pons, *pontis*, m. : pont

populus, *i*, m. : peuple

porcus, *i*, m. ou f. : porc, cochon ou truie

porto, as, are, avi, atum : porter

possum, potes, posse, potui : pouvoir

post + Acc. : après

postea : ensuite

postquam : après que

postulaticius, a, um : réclamé habituellement

potens, tis : qui peut, puissant

potestas, *atis*, f. : pouvoir, puissance

praecox, oquis ou ocis : précoce

praeda, *ae*, f. : butin

praefero, fers, ferre, tuli, latum : préférer

praemium, *ii*, n. : avantage

praetor, *oris*, m. : préteur

pretiosus, a, um : précieux, cher

primo : d'abord

primus, a, um : premier

princeps, *ipis*, m. : prince, empereur

principium, *ii*, n. : origine

priscus, a, um : vieux, ancien

priusquam : avant que

probitas, *atis*, f. : honnêteté

procedo, is, ere, cessi, cessum : s'avancer

proelium, *ii*, n. : bataille, combat

profero, fers, ferre, tuli, prolatum : porter en avant, tendre

prohibere fieri + Acc. : interdire de faire quelque chose

promissus, a, um : qu'on a laissé pousser, long

prosum, prodes, prodesse, profui : être utile, servir

provincia, *ae*, f. : la province

proximus, a, um : proche

prudens, tis : prudent

prudentia, *ae*, f. : prévision, sagesse

puella, *ae*, f. : jeune fille

puer, *eri*, m. : enfant

pugna, *ae*, f. : combat

pugno, as, are, avi, atum : combattre

pulcher, pulchra, pulchrum : beau

puppis, *is*, f. (Acc. puppim, Abl. puppi) : poupe, arrière du bateau

purus, a, um : sans tache, sans mélange, pur

puto, as, are : penser, estimer que (+ Acc. et participe parfait passif)

Q

qua : par où ? (lieu par où l'on passe)

quamdiu : pendant combien de temps

quando : quand, lorsque

quantum : combien

quartus, a, um : quatrième

quasi (adverbe) : pour ainsi dire, en quelque sorte

-que : et

quidem : certes, c'est vrai

quies, *etis*, f. : repos, tranquillité

quiesco, is, ere, quievi, quietum : se reposer, rester tranquille

quietus, a, um : paisible, calme,

quintus, a, um : cinquième

quo : où ? (lieu où l'on va)

quomodo : de quelle manière… ?

quondam : un jour

quoniam : puisque

quoque : aussi

quotidie : chaque jour

R

rapio, is, ere, rapui, raptum : enlever, saisir, emporter avec violence

ratio, *onis*, f. : calcul

recens, tis : récent, frais

rectus, a, um : droit, régulier, juste

reddo, is, ere, didi, ditum : rendre

redeo, is, ire, ivi, itum : revenir

redundo, as, are, avi, atum : rejaillir, retomber

regalis, e : royal, de roi, digne d'un roi

regina, *ae*, f. : reine

regno, as, are, avi, atum : régner

rego, is, ere, rexi, rectum : diriger, commander

relinquo, is, ere, liqui, relictum : laisser, quitter, abandonner

repello, is, ere, rep(p)uli, repulsum : repousser

res publica, f. : la chose publique, l'État

respondeo, es, ere, di, sum : répondre

restituo, is, ere, tui, tutum : reconstruire, restituer

resulto, as, are, avi, atum : faire des petits sauts

rete, *is*, n. : filet

reverto, is, ere, i, sum : retourner, revenir

revoco, as, are, avi, atum : rappeler, faire revenir

rex, *regis*, m. : roi

rideo, es, ere, risi, risum : rire, se moquer de quelqu'un (+ Acc.)

ridiculus, a, um : qui fait rire

rigo, as, are, avi, atum : arroser, baigner

rogo, as, are, avi, atum : demander

ros, *roris*, m. : rosée

rusticus, a, um : qui vient de la campagne, rustique

rutilans, antis : brillant

S

saepe : souvent

saevus, a, um : cruel

saluto, as, are, avi, atum : saluer

salvus, a, um : sauf, en vie

sanctus, a, um : sacré, vénérable

sano, as, are, avi, atum : guérir, réparer

sapiens, entis : sage

saxum, *i*, n. : roche

scaena, *ae*, f. : scène

scando, is, ere, scandi, scansum : monter à, escalader

scio, is, ire, scivi, scitum : savoir

scribo, is, ere, scripsi, scriptum : écrire

scriptum, i, n. : écrit

scutum, i, n. : bouclier

secedo, is, ere, cessi, cessum : se retirer

secretus, a, um : séparé, isolé, à part

secundus, a, um : deuxième, second

securitas, atis : sûreté, sécurité

sed : mais

sedeo, es, ere, sedi, sessum : être assis

semper : toujours

senator, oris, m. : sénateur

senectus, utis, f. : vieillesse

senex, senis, m. : vieillard

sententia, ae, f. : sentiment, opinion, phrase

sentina, ae, f. : eau au fond de la cale

sermo, onis, m. : discours

sertum, i, n. : guirlande, couronne

servus, i, m. : esclave

sextus, a, um : sixième

significo, as, are, avi, atum : faire entendre

silva, ae, f. : forêt

similis, e : semblable

sine + Abl. : sans

solus, a, um : seul

sons, sontis : coupable, criminel

spectaculum, i, n. : spectacle

spectator, oris, m. : spectateur

specto, as, are, avi, atum : observer, regarder

spiceus, a, um : fait avec des épis

spondeo, es, ere, spopondi, sponsum : promettre, assurer, garantir

stabilis, e : qui se tient fermement, solide, inébranlable

statim : aussitôt

statuo, is, ere, ui, statutum : établir, décider

sterno, is, ere, stravi, stratum : répandre, étendre

stipes, itis, m. : tronc d'arbre

sto, stas, stare, steti, statum : se tenir debout

stultus, a, um : sot

sub + Acc. ou Abl. : sous

sum, es, esse, fui : être

summus, a, um : le plus élevé

superbus, a, um : orgueilleux

sustineo, es, ere, tinui, tentum : soutenir

T

tamen : pourtant

tamquam : comme

tantum : seulement

tela, ae, f. : toile (à tisser)

telum, i, n. : arme de jet, trait, lance

templum, i, n. : temple

tempto, as, are, avi, atum : essayer de (+ inf.)

tempus, oris, n. : temps, moment, saison, occasion

teneo, es, ere, ui, tentum : tenir, d'où retenir, savoir

tener, i, m. : tout petit enfant (d'âge tendre)

terra, ae, f. : terre

terreo, es, ere, ui, territum : effrayer

terribilis, e : effrayant

tertius, a, um : troisième

texo, is, ere, texui, textum : tisser

tibia, ae, f. : flute (tibias inflare, souffler dans une flute)

tibicen, inis, m. : joueur de flute

timeo, es, ere, timui : craindre

timor, oris, m. : peur

titubo, as, are, avi, atum : chanceler

toga, ae, f. : toge

tollo, is, ere, sustuli, sublatum : soulever, prendre

trado, is, ere, didi, ditum : transmettre

tragoedia, ae, f. : tragédie

traho, is, ere, traxi, tractum : tirer, attirer

trans + Acc. : de l'autre côté

transeo, is, ire, ii, itum : passer

tremo, is, ere, ui : trembler

tremule (adverbe) : en tremblant

trepido, as, are, avi, atum : s'agiter, trembler

tribunus, i, m. : tribun

tribuo, is, ere, bui, butum : accorder, attribuer

tristis, e : triste

tum : alors

turpiter : honteusement

U

ubi : où, quand

umerus, i, m. : épaule

umquam : une seule fois

una : en même temps

unde : d'où ?

universus, a, um : tout entier

urbs, urbis, f. : ville

uro, is, ere, ussi, ustum : bruler

ursus, i, m. : ours

ut primum : dès que

ut : comme ; quand, alors que, au moment où

utilis, e : utile

utilitas, atis, f. : utilité, intérêt, profit

utrimque : des deux côtés, doublement

uva, ae, f. : raisin

V

vaco, as, are, avi, atum : être vide, inoccupé (sans les activités habituelles)

valeo, es, ere, ui, itum : être fort, aller bien

varius, a, um : varié

vectus, a, um : porté

vel… vel : soit… soit

velocitas, atis, f. : célérité, rapidité

veneratio, onis, f. : vénération, respect

venio, is, ire, veni, ventum : venir

ver, veris, n. : printemps

verbero, as, are, avi, atum : frapper à coups de fouet, battre

verbum, i, n. : mot, expression

vero : c'est sûr, en vérité, mais

verto, is, ere, verti, versum : tourner, changer, traduire

verum : vraiment, mais en vérité

verus, a, um : vrai

vetus, eris : vieux

via, ae, f. : voie, chemin

vicarius, a, um : qui remplace, de substitution

vicinus, a, um : voisin

victor, oris, m. : vainqueur

victoria, ae, f. : victoire

video, es, ere, vidi, visum : voir

vinco, is, ere, vici, victum : vaincre

vinum, i, n. : vin

vipera, ae, f. : vipère

vir, i, m. : homme

virgo, inis, f. : jeune fille, vierge

virtus, utis, f. : qualités physiques et morales de l'homme

vis (pl. vires, virium), f. : force physique, vigueur, violence

vita, ae, f. : vie

vitium, ii, n. : vice, défaut

vivo, is, ere, vixi, victum : vivre

vocatur : il est appelé (= il s'appelle)

voco, as, are, avi, atum : appeler

volatilis, e : ailé, rapide

volo, vis, vult, velle, volui : vouloir

voluntarie : volontairement

voluptas, atis, f. : plaisir

vox, vocis, f. : voix, parole, mot

vulnus, eris, n. : blessure

vultus, us, m. : visage

Déclinaisons

Les noms

Les cas et les déclinaisons

La **déclinaison** latine est l'ensemble des **six cas**, correspondant à des **fonctions**.
Ils sont marqués par des **terminaisons variables** qui s'ajoutent au **radical** du mot.

Fonctions en français	Cas en latin	Exemples
sujet, attribut du sujet	**Nominatif (N.)**	**La déesse** siège dans l'Olympe. **Dea** in Olympo sedet.
apostrophe	**Vocatif (V.)**	**Déesse**, sois bienveillante ! **Dea**, benigna sis !
complément d'objet direct	**Accusatif (Acc.)**	Les épouses honorent **la grande déesse**. Matronae **magnam deam** colunt.
complément du nom	**Génitif (G.)**	Elles ornent la statue **de la grande déesse**. **Magnae deae** statuam ornant.
complément d'objet second	**Datif (D.)**	Elles offrent des sacrifices **à la déesse**. **Deae** sacra faciunt.
complément circonstanciel	**Ablatif (Abl.)**	Elles vivent avec **la déesse**. Cum **dea** vivunt.

Les noms latins sont répartis en **cinq déclinaisons**.
La terminaison du **génitif singulier** permet d'identifier le **type de déclinaison** auquel appartient un nom.

1re déclinaison	2e déclinaison	3e déclinaison	4e déclinaison	5e déclinaison
-ae	-i	-is	-us	-ei
dominae, *ae*, f. *la maitresse*	dominus, *i*, m. *le maitre*	rex, *regis*, m. *le roi*	manus, *us*, f. *la main*	dies, *ei*, m. *le jour*

La première déclinaison

	domina, *ae*, f. : la maitresse	
Cas	**Singulier**	**Pluriel**
Nominatif	domina	dominae
Vocatif	domina	dominae
Accusatif	dominam	dominas
Génitif	dominae	dominarum
Datif	dominae	dominis
Ablatif	domina	dominis

Les noms de la 1re déclinaison sont généralement du genre **féminin**. Plusieurs noms de métier et de nationalité sont du genre **masculin**.

nauta, *ae*, m. : le marin
agricola, *ae*, m. : le paysan
Belgae, *arum*, m. : les Belges

Les noms de la 2e déclinaison sont généralement du genre **masculin** ou **neutre**. Les noms d'arbre et le nom humus sont du genre **féminin**.

ficus, *i*, f. : le figuier
humus, *i*, f. : la terre

La deuxième déclinaison

	Masculin							Neutre	
	dominus, *i*, m. : le maitre		puer, *eri*, m. : l'enfant		ager, *agri*, m. : le champ			bellum, *i*, n. : la guerre	
Cas	**Singulier**	**Pluriel**	**Singulier**	**Pluriel**	**Singulier**	**Pluriel**	**Cas**	**Singulier**	**Pluriel**
Nominatif	dominus	domini	puer	pueri	ager	agri	**Nominatif**	bellum	bella
Vocatif	domine	domini	puer	pueri	ager	agri	**Vocatif**	bellum	bella
Accusatif	dominum	dominos	puerum	pueros	agrum	agros	**Accusatif**	bellum	bella
Génitif	domini	dominorum	pueri	puerorum	agri	agrorum	**Génitif**	belli	bellorum
Datif	domino	dominis	puero	pueris	agro	agris	**Datif**	bello	bellis
Ablatif	domino	dominis	puero	pueris	agro	agris	**Ablatif**	bello	bellis

La troisième déclinaison

Catégorie n° 1

Cas	rex, *regis*, m. : le roi		corpus, *corporis*, n. : le corps	
	Singulier	Pluriel	Singulier	Pluriel
Nominatif	rex	reges	corpus	corpora
Vocatif	rex	reges	corpus	corpora
Accusatif	regem	reges	corpus	corpora
Génitif	regis	regum	corporis	corporum
Datif	regi	regibus	copori	coporibus
Ablatif	rege	regibus	corpore	corporibus

Catégorie n° 2

Cas	civis, *civis*, m. : le citoyen		urbs, *urbis*, f. : la ville		mare, *maris*, n. : la mer	
	Masculin		Féminin		Neutre	
	Singulier	Pluriel	Singulier	Pluriel	Singulier	Pluriel
Nominatif	civis	cives	urbs	urbes	mare	maria
Vocatif	civis	cives	urbs	urbes	mare	maria
Accusatif	civem	cives	urbem	urbes	mare	maria
Génitif	civis	civium	urbis	urbium	maris	marium
Datif	civi	civibus	urbi	urbibus	mari	maribus
Ablatif	cive	civibus	urbe	urbibus	mari	maribus

Les adjectifs

Les adjectifs de la 1re classe

Cas	bonus, a, um : bon					
	Masculin		Féminin		Neutre	
	Singulier	Pluriel	Singulier	Pluriel	Singulier	Pluriel
Nominatif	bonus	boni	bona	bonae	bonum	bona
Vocatif	bone	boni	bona	bonae	bonum	bona
Accusatif	bonum	bonos	bonam	bonas	bonum	bona
Génitif	boni	bonorum	bonae	bonarum	boni	bonorum
Datif	bono	bonis	bonae	bonis	bono	bonis
Ablatif	bono	bonis	bona	bonis	bono	bonis

Cas	miser, era, erum : malheureux					
Nominatif	miser	miseri	misera	miserae	miserum	misera
Vocatif	miser	miseri	misera	miserae	miserum	misera
Accusatif	miserum	miseros	miseram	miseras	miserum	misera
Génitif	miseri	miserorum	miserae	miserarum	miseri	miserorum
Datif	misero	miseris	miserae	miseris	misero	miseris
Ablatif	misero	miseris	misera	miseris	misero	miseris

Les adjectifs de la 2e classe

Catégorie n° 1

Cas	vetus, veteris : vieux			
	Masculin et féminin		Neutre	
	Singulier	Pluriel	Singulier	Pluriel
Nominatif	vetus	veteres	vetus	vetera
Vocatif	vetus	veteres	vetus	vetera
Accusatif	veterem	veteres	vetus	vetera
Génitif	veteris	veterum	veteris	veterum
Datif	veteri	veteribus	veteri	veteribus
Ablatif	vetere	veteribus	vetere	veteribus

Catégorie n° 2

Cas	fortis, e : fort, courageux			
	Masculin et féminin		Neutre	
	Singulier	Pluriel	Singulier	Pluriel
Nominatif	fortis	fortes	forte	fortia
Vocatif	fortis	fortes	forte	fortia
Accusatif	fortem	fortes	forte	fortia
Génitif	fortis	fortium	fortis	fortium
Datif	forti	fortibus	forti	fortibus
Ablatif	forti	fortibus	forti	fortibus

Cas	ingens, ingentis : immense			
Nominatif	ingens	ingentes	ingens	ingentia
Vocatif	ingens	ingentes	ingens	ingentia
Accusatif	ingentem	ingentes	ingens	ingentia
Génitif	ingentis	ingentium	ingentis	ingentium
Datif	ingenti	ingentibus	ingenti	ingentibus
Ablatif	ingenti/e	ingentibus	ingenti	ingentibus

Dans le dictionnaire, les adjectifs du type fortis sont cités au nominatif masculin/féminin singulier (fortis), suivi de la terminaison du nominatif neutre singulier (forte) → **fortis, e.**

Les adjectifs du type ingens sont cités au nominatif masculin/féminin/neutre singulier (ingens), suivi de la terminaison du génitif masculin/féminin singulier (ingentis) → **ingens, ntis.**

Les pronoms

Les pronoms personnels

Cas	Singulier		Pluriel	
	1re pers.	2e pers.	1re pers.	2e pers.
Nominatif	ego	tu	nos	vos
Vocatif	-	tu	-	vos
Accusatif	me	te	nos	vos
Génitif	mei	tui	nostri	vestri
Datif	mihi	tibi	nobis	vobis
Ablatif	me	te	nobis	vobis

Le pronom-adjectif *is, ea, id*

Cas	Singulier			Pluriel		
	Masculin	Féminin	Neutre	Masculin	Féminin	Neutre
Nominatif	is	ea	id	ei (ii)	eae	ea
Accusatif	eum	eam	id	eos	eas	ea
Génitif	ejus	ejus	ejus	eorum	earum	eorum
Datif	ei	ei	ei	eis (iis)	eis (iis)	eis (iis)
Ablatif	eo	ea	eo	eis (iis)	eis (iis)	eis (iis)

Les pronoms-adjectifs démonstratifs *hic, iste, ille*

	hic, haec, hoc			iste, ista, istud			ille, illa, illud		
	Singulier								
Cas	Masculin	Féminin	Neutre	Masculin	Féminin	Neutre	Masculin	Féminin	Neutre
N.	hic	haec	hoc	iste	ista	istud	ille	illa	illud
Acc.	hunc	hanc	hoc	istum	istam	istud	illum	illam	illud
G.	hujus			istius			illius		
D.	huic			isti			illi		
Abl.	hoc	hac	hoc	isto	ista	isto	illo	illa	illo
	Pluriel								
N.	hi	hae	haec	isti	istae	ista	illi	illae	illa
Acc.	hos	has	haec	istos	istas	ista	illos	illas	illa
G.	horum	harum	horum	istorum	istarum	istorum	illorum	illarum	illorum
D.	his			istis			illis		
Abl.	his			istis			illis		

Les pronoms *idem, ipse*

	idem, eadem, idem			ipse, ipsa, ipsum		
	Singulier			Singulier		
Cas	Masculin	Féminin	Neutre	Masculin	Féminin	Neutre
N.	idem	eadem	idem	ipse	ipsa	ipsum
Acc.	eumdem	eamdem	idem	ipsum	ipsam	ipsum
G.	ejusdem			ipsius		
D.	eidem			ipsi		
Abl.	eodem	eadem	eodem	ipso	ipsa	ipso

- Au pluriel, idem, eadem, idem se décline comme ei (ou ii), eae, ea (eidem, eaedem, eadem...).
- Au pluriel, ipse, ipsa, ipsum **est décliné comme** magni, magnae, magna (ipsi, ipsae, ipsa).

Conjugaisons

Les verbes *amo*, *video*, *lego*, *capio*, *audio*, *sum* et *possum*

	amo, as, are	video, es, ere	lego, is, ere	capio, is, ere	audio, is, ire	sum, es, esse	possum, potes, posse
Indicatif présent	amo	video	lego	capio	audio	sum	possum
	amas	vides	legis	capis	audis	es	potes
	amat	videt	legit	capit	audit	est	potest
	amamus	videmus	legimus	capimus	audimus	sumus	possumus
	amatis	videtis	legitis	capitis	auditis	estis	potestis
	amant	vident	legunt	capiunt	audiunt	sunt	possunt
Indicatif imparfait	amabam	videbam	legebam	capiebam	audiebam	eram	poteram
	amabas	videbas	legebas	capiebas	audiebas	eras	poteras
	amabat	videbat	legebat	capiebat	audiebat	erat	poterat
	amabamus	videbamus	legebamus	capiebamus	audiebamus	eramus	poteramus
	amabatis	videbatis	legebatis	capiebatis	audiebatis	eratis	poteratis
	amabant	videbant	legebant	capiebant	audiebant	erant	poterant
Indicatif futur	amabo	videbo	legam	capiam	audiam	ero	potero
	amabis	videbis	leges	capies	audies	eris	poteris
	amabit	videbit	leget	capiet	audiet	erit	poterit
	amabimus	videbimus	legemus	capiemus	audiemus	erimus	poterimus
	amabitis	videbitis	legetis	capietis	audietis	eritis	poteritis
	amabunt	videbunt	legent	capient	audient	erunt	poterunt
Impératif présent	ama	vide	lege	cape	audi	es	-
	amate	videte	legite	capite	audite	este	
Infinitif présent	amare	videre	legere	capere	audire	esse	posse
Participe présent	amans, amantis	videns, videntis	legens, legentis	capiens, capientis	audiens, audientis	-	-
Indicatif parfait	amavi	vidi	legi	cepi	audivi	fui	potui
	amavisti	vidisti	legisti	cepisti	audivisti	fuisti	potuisti
	amavit	vidit	legit	cepit	audivit	fuit	potuit
	amavimus	vidimus	legimus	cepimus	audivimus	fuimus	potuimus
	amavistis	vidistis	legistis	cepistis	audivistis	fuistis	potuistis
	amaverunt	viderunt	legerunt	ceperunt	audiverunt	fuerunt	potuerunt
Indicatif plus-que-parfait	amaveram	videram	legeram	ceperam	audiveram	fueram	potueram
	amaveras	videras	legeras	ceperas	audiveras	fueras	potuerat
	amaverat	viderat	legerat	ceperat	audiverat	fuerat	potuerat
	amaveramus	videramus	legeramus	ceperamus	audiveramus	fueramus	potueramus
	amaveratis	videratis	legeratis	ceperatis	audiveratis	fueratis	potueratis
	amaverant	viderant	legerant	ceperant	audiverant	fuerant	potuerant
Indicatif futur antérieur	amavero	videro	legero	cepero	audivero	fuero	potuero
	amaveris	videris	legeris	ceperis	audiveris	fueris	potueris
	amaverit	viderit	legerit	ceperit	audiverit	fuerit	potuerit
	amaverimus	viderimus	legerimus	ceperimus	audiverimus	fuerimus	potuerimus
	amaveritis	videritis	legeritis	ceperitis	audiveritis	fueritis	potueritis
	amaverint	viderint	legerint	ceperint	audiverint	fuerint	potuerint
Infinitif parfait	amavisse	vidisse	legisse	cepisse	audivisse	fuisse	potuisse

Les verbes *eo*, *fero*, *fio* et *volo*

	eo, is, ire, i(vi), itum		fero, fers, ferre, tuli, latum		fio, fis, fieri, factus sum		volo, vis, velle, volui	
Indicatif présent	eo	imus	fero	ferimus	fio	fimus	volo	volumus
	is	itis	fers	fertis	fis	fitis	vis	vultis
	it	eunt	fert	ferunt	fit	fiunt	vult	volunt
Indicatif imparfait	ibam	ibamus	ferebam	ferebamus	fiebam	fiebamus	volebam	volebamus
	ibas	ibatis	ferebas	ferebatis	fiebas	fiebatis	volebas	volebatis
	ibat	ibant	ferebat	ferebant	fiebat	fiebant	volebat	volebant
Indicatif futur	ibo	ibimus	feram	feremus	fiam	fiemus	volam	volemus
	ibis	ibitis	feres	feretis	fies	fietis	voles	voletis
	ibit	ibunt	feret	ferent	fiet	fient	volet	volent
Impératif présent	i	ite	fer	ferte	-	-	-	-
Infinitif présent	ire		ferre		fieri		velle	
Participe présent	iens, euntis		ferens, entis				volens, entis	
Indicatif parfait	i(v)i	i(v)imus	tuli	tulimus			volui	voluimus
	i(v)isti	i(v)istis	tulisti	tulistis			voluisti	voluistis
	i(v)it	i(v)erunt	tulit	tulerunt			voluit	voluerunt
Indicatif plus-que-parfait	i(v)eram	i(v)eramus	tuleram	tuleramus			volueram	volueramus
	i(v)eras	i(v)eratis	tuleras	tuleratis			volueras	volueratis
	i(v)erat	i(v)erant	tulerat	tulerant			voluerat	voluerant
Indicatif futur antérieur	i(v)ero	i(v)erimus	tulero	tulerimus			voluero	voluerimus
	i(v)eris	i(v)eritis	tuleris	tuleritis			volueris	volueritis
	i(v)erit	i(v)erint	tulerit	tulerint			voluerit	voluerint
Infinitif parfait	i(v)isse		tulisse				voluisse	

Index *des notions de langue*

Crédits iconographiques

Achevé d'imprimer en avril 2021 sur les presses de la SEPEC (France)
N° d'impression : 09467210117 - N° d'éditeur : MAGSI20201126
Dépôt légal : août 2017

IMPRIM'VERT®

PEFC **10-31-1470** / **Certifié PEFC** / Ce produit est issu de forêts gérées durablement et de sources contrôlées. / pefc-france.org

Urbs Roma : Capitolium et Forum Romanum

Centres religieux et politique de la cité, la colline du **Capitole** et la plaine du **Forum** symbolisent la puissance de Rome, devenue la capitale du monde antique. Ils représentent un modèle architectural que toutes les villes soumises à l'autorité romaine cherchent à imiter.

Le temple de Jupiter Capitolin
Construit sous les Tarquins, derniers rois de Rome, inauguré en 509 avant J.-C., il abrite la triade divine qui protège la cité : Jupiter, le souverain suprême, Junon, son épouse, et Minerve, sa fille.

Le temple de Junon Moneta
Il fut construit en 343 avant J.-C. en l'honneur de Junon Moneta, « l'Avertisseuse », parce qu'elle avait annoncé un tremblement de terre. Par la suite, il abrite la fabrique de monnaie (d'où ce nom, tiré de Moneta).

Le mur Servien
Ce rempart qui porte le nom du roi Servius Tullius fut construit au IVᵉ siècle avant J.-C. D'une longueur de 11 km, doté de 16 portes, ils constitua alors l'enceinte fortifiée de la ville autour de ses sept collines : Quirinal, Viminal, Esquilin, Caelius, Aventin, Palatin, Capitole.

1 et **2** Le Capitole
Les deux sommets de cette colline furent occupés par les premiers habitants de la cité fondée par Romulus en 753 avant J.-C. :
1 l'**Arx** (la citadelle) constitua sa forteresse primitive ;
2 le Capitole proprement dit devint son centre religieux.

3 Le Forum romain
Situé dans l'ancienne plaine marécageuse qui sépare les collines du Capitole et du Palatin, il est le foyer le plus ancien et le plus important de la vie publique romaine. Toujours très animée, sa place est le cadre des principales activités commerciales et politiques.

Reconstitution du Capitole et du Forum romain au Iᵉʳ siècle avant J.-C.

MNE
Un **dossier** sur le forum.

Forum Romanum

Sans cesse remanié, le Forum Romanum a connu de grands bouleversements (destructions, incendies) dès l'Antiquité :

1 Aedes Concordiae : **temple de la Concorde**, inauguré en 367 avant J.-C. Il célèbre l'unité du peuple romain en commémorant la réconciliation entre plébéiens et patriciens (**p. 28**).

2 Aedes Saturni : temple dédié au Titan Saturne, père de Jupiter, inauguré en 498 avant J.-C. Il abrite le trésor public de l'État.

3 Basilica Julia : c'est le plus grand bâtiment du Forum. Ouvert au public, il abrite les travaux des magistrats, et en particulier les procès. De nombreuses boutiques et tavernes sont installées sous les arcades. Le toit en terrasse offre une belle vue sur la place : c'est en effet sur le Forum que se déroulèrent les combats de gladiateurs avant la construction du Colisée (**p. 140**).

4 Rostra : **Rostres**. C'est la tribune aux harangues aménagée pour les orateurs. Elle est ornée des éperons de navires (rostres) pris aux ennemis (**p. 47**).

5 Curia : **Curie** où se réunissent les sénateurs (**p. 36**). Elle a été reconstruite à l'initiative de Jules César, près de son ancien emplacement (**p. III**).

6 Aedes Castorum : temple dédié en 484 avant J.-C. aux frères jumeaux Castor et Pollux.

7 **Arc de triomphe** construit pour honorer Auguste, le premier empereur de Rome.

8 Aedes Vestae : **temple de Vesta,** la déesse du foyer. Il abrite le feu sacré entretenu par les Vestales.

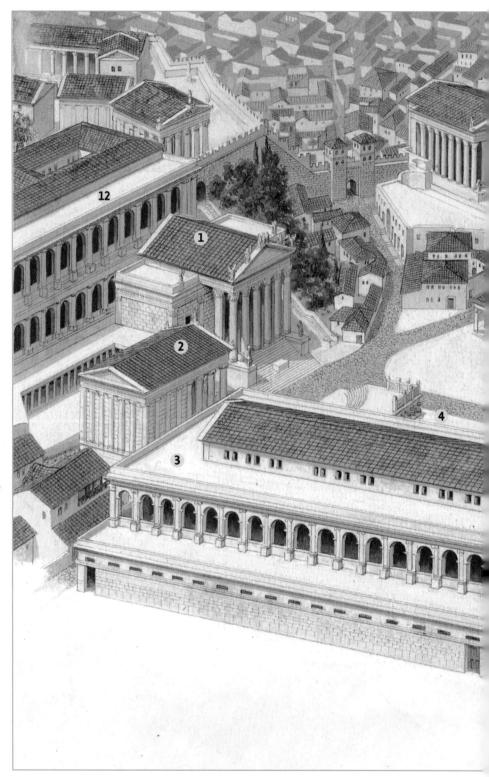

9 **Temple** édifié en l'honneur de Jules César devant l'emplacement où se trouvait la **Regia**, l'ancienne résidence officielle des rois de Rome.

10 Sacellum Cloacinae : petit sanctuaire dédié à Vénus « la Purificatrice » (Cloacina). La Cloaca Maxima est le grand égout qu'a fait creuser le roi Tarquin l'Ancien en 616 avant J.-C. pour « purifier » la zone marécageuse.

11 Basilica Aemilia, elle présente le même dispositif que la « basilique julienne » **3**.